1/12の冒険

マリアン・マローン
橋本恵 訳

ほるぷ出版

ミニチュアルームE-17、16世紀後期のフランスのベッドルーム（48.9×66×68.6 cm）

ミニチュアルームE-24、1780年のフランスの部屋（38×52×43 cm）

ミニチュアルームE-1、1550-1603年ごろのイギリスの城の一室（57.5×63×79.4 cm）

ミニチュアルームA-1、1675-1700年ごろのアメリカのキッチンダイニング（22×46×35.6 cm）

12分の1の冒険

マリアン・マローン　著
橋本恵　訳

目次

すべてをジョナサンに捧ぐ。
寝る前に読むお話として、マヤとノニとヘンリーに捧ぐ。

The Sixty-Eight Rooms
by Marianne Malone

Published by arrangement with the author,
c/o Brandt & Hochman Literary Agents, Inc., New York, U.S.A.
through Tuttle-Mori Agency, Inc., Tokyo.
Japanese language edition published by Holp Shuppan Publications, Ltd.,Tokyo.
Printed in Japan.

カバー、本文イラスト：佐竹美保
日本語版装幀：城所 潤

1

けっこう楽しい社会科見学

ルーシーにとって、朝はいつも苦労《くろう》の連続だ。目をさますのが、つらいわけじゃない。まず、ベッドからおりるのに一苦労するのだ。ベッドの端《はし》にうずくまり、自分のつくえと姉の化粧《けしょう》台《だい》のあいだのせまいすきまを通りぬけなければならない。

床《ゆか》のどこに足を置くかも問題だ。ルーシーの夏服をつめた衣装ケースがベッドの下におさまりきらず、わずかに飛びだしていて、気をつけないとつまずいたり、つま先をぶつけたりしてしまう。

さらなる難関は、姉を起こさないようにすることだ。そうしなければ、ルーシーは朝いちばんにバスルームを占領《せんりょう》できない。姉のクレアは、学校に行く前に——というか、どこに行くにもその前に——ルーシーよりはるかに長くバスルームにとじこもる。なぜなのかはわからないけれど、いままでイヤになるほど何度もそういうことがあったのだ。

クレアは、やさしい。少なくとも、ルーシーがうわさで聞いたことのあるよそのお姉さんほど、意地悪じゃない。けれどクレアには、けっこうな時間と場所をとられている。とくに、場所を。ふたりで使っているせまい部屋はまちがいなく、クレアの所有物に多く占領《せんりょう》されている。もともとルーシーのよりも大きいクレアのつくえの上には、コンピュータと大型プリンターが一台ずつ。ほかにもスポーツ用品がいろいろあるし、服があちこちに積まれているし、大学のパンフレットや大学進学適性《てきせい》試験用の参考書や申込用紙の山はどんどん高くなっている。クレアは卒業をひかえた高校生で、大学進学の準備を始めているのだ。ルーシーは、クレアが大学に進学して家を出る日が待ちどおしかった。そうすれば、晴れて部屋をひとりで使える。

その日の朝――。ルーシーは先に目をさまし、クレアを起こすことなくふたりで使っている寝室《しんしつ》のせまいすきまを通りぬけ、ドアまでたどりつき、廊下《ろうか》をのぞいた。やった！　バスルームはからっぽだ。ひとりじめできる！　同じクラスの生徒の中で、家にバスルームがひとつしかないのは、ルーシーだけだ。

まずは湯の温度をあげるためにシャワーを全開にする。ラックからひとつきりの自分専用のシャンプーのボトルを取り、シャワーの棚《たな》の上に置こうとした。けれど棚には、姉と母親のヘアケア製品がかぞえきれないほど置いてあって、むずかしい。

家でひとりきりになれて、考えごとにふけられるのはここしかないのよね――。背中にシャワーを浴びながら、しばらく立っていた。これから始まる一日のことを想像してみる。社会科見学と、今日なにかステキなことが起きる可能性のことを。今日、ステキなことが起きてもいいじゃない？　すごくわくわくするようなことや、いつもとちがうことが起きたあと、人はふりかえって、「今日、なにか起きる気がしたんだ」なんていうもの？　ううん、たぶんそれはない。でも、今日だっていいじゃない？　みんな、感じることはないの？　今日、スゴいことが起きる気がするって？

バスルームのドアがあき、ルーシーのひとりきりの時間はさまたげられた。しかも一回ではなく、三回も。

世界地図が描《えが》かれたシャワーカーテンの向こうから、父親の声がした。

「悪いな、ルーシー。きのうの晩、ここに本を置いたはずなんだが」

「ちょっと、パパ！」

「心配するな。なにも見えないから！　さあて、どこに置いたんだったかな？」

父親がドアをしめた。まったく、もう！

一分後、今度は母親が入ってきた。

「ルーシー、パパのアメリカの歴史の本、見なかった？」

「ちょっと、ママ、やめてくれない？　見てない。さっきもパパにきかれたよ」

「シャワー、早めにきりあげてちょうだい。クレアの支度《したく》があるんだから」

待ってましたとばかりにクレアが入ってきて、歯をみがきはじめた。

「ちょっと、お姉ちゃん、後にしてくれない？」

「ルーシーったら、なに気取ってるのよ。早くしてよね」

お姉ちゃんが大学に進学するまで、あと一年。ルーシーは、胸の中でうめいた。ううっ、気が遠くなりそう！


「おーい、ルーシー！　待ってくれ！」

ジャック・タッカーが、学校のすぐそばの歩道で、氷に足をすべらせながら叫《さけ》んだ。

「社会科見学の許可証、ちゃんと持ってきた？」と、ルーシー。

「うん。ここにある」ジャックがポケットを軽くたたき、「うっかり忘《わす》れるところだった！いつものことだけど！」と、声をあげて笑う。

ジャックは、この二年間ずっとルーシーの大親友だ。なぜだろう、とルーシーはときどきふしぎになる。親友といえば、クラスのたいていの男子はほかの男子、女子はほかの女子を選んでいる。それでもルーシーとジャックが親友なのは、正反対だから？　ジャックの母親によると、ジャックとルーシーは「補色《ほしょく》」のような存在らしい。補色というのは、ごく自然に調和する赤と緑のような色のこと。ジャックは、おもしろくて変わったことを引きおこせるタイプだ。そこにルーシーは魅力《みりょく》を感じている。ルーシー自身は自分のことを、ジャックとはちがってようすを見まもり、なにかが起きるのを待っているタイプだと思っている。ルーシーの母親にいわせると、生まれつきの性格なのだそうだ。たしかに、いつの日か、自分の身におもしろいことが起きますように、それがずっと先のことではありませんように――、ルーシーがそう願っていることだけは、まちがいなかった。

ルーシーとジャックは、シカゴにあるオークトン私立小学校に通う六年生。ルーシーは、母親がオークトン校の上級生にフランス語とスペイン語を教える職についたのを機に、二年生から通っている。オークトン校に通えるようになったのは、大きなチャンスだった。それまで母親は父親と同じように公立学校で教えていたのだが、オークトン校の教師になったおかげで、ルーシーも姉のクレアもこの学校に無料で通えるようになったのだ。

オークトン校はミニ国連ね、とルーシーの母親はよくいう。たしかにルーシーのクラスには、世界中の大陸の出身者がそろっていた（ジャックがいつも指摘《してき》するように、南極出身者だけはいないが）。担任のビドル先生もおもしろい経歴の持ち主で、ナイジェリア出身の母親やイギリス出身の父親の話をよくしている。

ビドル先生やクラスメートの大半にくらべると、あたしの家はホントにありきたりだ、とルーシーは思っていた。

ルーシーの知るかぎり、クラスの中で奨学金《しょうがくきん》をもらっているのは、ルーシーとジャックだけだ。ジャックの母親は画家で、家はどう見ても金持ちではない。ジャックは二年前、成績優《ゆう》秀者《しゅうしゃ》として奨学金を勝ちとった。けれどルーシーは、ジャックがそんなに賢《かしこ》いとは思っていない。なにせジャックは、社会科見学の許可証や宿題などを、おぼえていたためしがないのだ！

「おれさあ、今朝《けさ》ルーシーが電話してくれなかったら、一日、図書館ですごすところだった。まあ、いつものことだけど！」

「お母さんが、つきそいとして来てくれるんじゃないの？」

「うん。でも、美術館で待ちあわせなんだ。なあ、今日のランチは？　なに？」

「ツナのサンドイッチ。つまんないの」ルーシーは、そっけなくこたえた。

「見てくれよ、おれのランチ」と、ジャックがバックパックから、黒く光っているきれいな箱を取りだした。箱の中は細かくぎられていて、おいしそうな食べ物がつまっていた。中華《ちゅうか》の惣菜《そうざい》、巻きずし、ピーナッツ入りの粒《つぶ》チョコ、ミニサイズのチョコレートチップ・クッキー。トウモロコシの粉をうすく焼いたトルティーヤチップスは、少量ずつ、二カ所にわけてつめてある。「これ、弁当箱っていうんだ。母さんの友だちに、日本へ行ってきたばかりの人がいてさ。おみやげに持ってきてくれたんだ。日本の子どもは、こうやってランチを持ちはこんでるんだって」ジャックは粒チョコをいくつかつまんでルーシーにわたすと、弁当箱のふたをしめ、ポケットに手をつっこんだ。「それとさ、今朝、学校に来るとちゅう、パーキングメーターの下で、小銭《こぜに》を集めたんだ。ほら、二ドル五十セント！」と、お金と便利《べんり》なガラクタを見つける才能を披露《ひろう》する。

いつものことだけど、ジャックはランチを楽しいイベントに変えちゃったわけね——と、ルーシーは思った。ジャックのすごい点は、まわりからもおもしろいヤツだと思われていることだ。もしほかの子が学校に弁当箱を持ってきたら、ヘンなヤツだと思われる。ルーシーだって、まわりとあまりにもちがうことをしたら、ただではすまないだろう。けれど、なぜかジャックはゆるされる。ジャックは、そういうタイプの子。ラッキーな子なのだ。

今日は、すごくいい一日よね――。ルーシーは、クラスメートとともにシカゴ美術館行きのバスに乗りこみながら思った。テストはない。つまらない集会もない。教育目的の映画も見なくていい。外は寒いが、よく晴れている。

ルーシーは、シカゴ美術館が好《す》きだ。いつ行っても人がおおぜいいるが、混んでいると感じたことは一度もない。部屋どうしがごく自然につながっていて、前に来たことのある部屋かどうか、いつもわからなくなる。はてしなくつづく迷路のように、すべてのコーナーが新鮮《しんせん》に感じられる。

美術館に到着《とうちゃく》したらちょうど開館時刻で、ジャックの母親のリディアが息子のクラスを待っていた。ジャックのお母さんはすごくきれいで、すごく若い、とルーシーは思っている。服装がおしゃれだ。ジーンズにロングブーツ、おしゃれなセーターに長いイヤリング。ルーシーの母親はこういう服装はせず、いつもきちっとした服を着ている。

担任のビドル先生が、美術館の見学ツアーの担当者に生徒たちを紹介《しょうかい》した。いまはアフリカを勉強中なので、今日のツアーはアフリカの美術コレクションだ。恐《おそ》ろしげでぶきみなお面や、彫《ほ》りものの壺《つぼ》、ふしぎな形のかぶりものがたくさんあった。ルーシーがおもしろいと感じる作品もある。中でも、動物の彫刻《ちょうこく》が気に入った。

「どうだったかしら、ルーシー？」ツアーのあと、ビドル先生は生徒たちに、ワークシートの質問にこたえ、展示品のどれかひとつをスケッチするよう指示してから、ルーシーにたずねた。

「いいと思います、ビドル先生。あたし、これが好きです」ルーシーは、長さ約一メートル半の枝角がつきだし、目が貝がらでできている、大きな動物の頭のりんかくをスケッチしながらこたえた。

「わたしもよ」ビドル先生は、ルーシーにほほえみかけた。


ランチタイム――。クラス全員が、地下のタッチギャラリーとクラフト教育センターに移動した。そこに、ランチを食べる部屋があるのだ。

ルーシーはジャックのとなりに座《すわ》り、みんなが寄ってきて、ジャックの弁当箱に、うわぁ、とか、へぇ、とか声をあげるのをながめた。

「ギチギチにつまってるな！」クラスで一番カッコいい男子のベン・ロメロがコメントした。

「それ、どこで買ったの？」とたずねたのは、なんでも持っている女子のケンドラ・コナーだ。

ジャックの母親はたまに子どもたちのほうを見るくらいで、同じくつきそいとして来ていたふたりの親とビドル先生といっしょに座っている。

ジャックは親切にも、中華《ちゅうか》の惣菜《そうざい》の一部を、ルーシーのツナサンドイッチ半分と交換《こうかん》してくれた。そのうえ、ルーシーのデザートが健康食品のグラノーラバーだったので、粒《つぶ》チョコをわけてくれた。

ジャックがソフトドリンクを買おうと自動販売機に小銭《こぜに》を入れるのを見て、ジャックの母親がジャックのもとへすっ飛んでいった。ルーシーにはふたりの会話が聞こえなかったが、少しのあいだ、かなりはげしいやりとりが交わされたようだ。

「お母さん、ソーダは飲んじゃダメって？」テーブルにもどってきたジャックに、ルーシーはたずねた。

「ううん。おれがだれかから小銭を借りたんじゃないかって思っただけ。そういうことはやめてくれってさ」と、ジャックが肩《かた》をすくめる。

「ジュースを買うお金を借りるのが、なんでダメなの？」

ジャックは間《ま》をおいてから、こたえた。「いま、うちが、マジで金に困ってるからじゃないかな。家賃を払《はら》わなきゃいけないんだけど、母さんの絵があんまり売れなくてさ」

ルーシーは少し考えてから、とりあえず「……そうなんだ」とコメントした。ジャック母子の生活に余裕がないことは知っていたが、そこまで困っているとは知らなかった。「うちのパパとママも、いつもお金の心配をしてるよ」

グラノーラバーをかじりながら、ジャックの家を思いうかべた。あたし、あの部屋、大好《だいす》きだな――。部屋というより、広々としたL字型の空間。〈生活の場〉と〈母親のアトリエ〉がL字型にまじわっている、いわゆる〝ロフト〟だ。

ジャック宅のある建物はもとは古い家具工場で、いまのテナントは全員アーティストだ。訪《ほう》問客《もんきゃく》を各階に運ぶのは、一基の業務用大型エレベーター。それを、自分で操作《そうさ》する。部屋は、ジャックの母親リディアのアーティスト仲間数人が手伝って造りあげたもので、広いキッチンに、寝室《しんしつ》とバスルームがふたつずつある。シンクとバスタブと食器棚《しょっきだな》はすべて、取りこわされた別のビルから持ちだしてきたものだ。窓はどれもかなり高く、すべての部屋から町を見わたせる。デコボコで傷だらけの床《ゆか》。ガタンガタンと音を立てるラジエーター。とにかく、おもしろい！

ルーシーは、金属製の重い工場用のドアをあけてジャック宅に入るたびに、なにかが起こりそうな気がしてわくわくする。ジャックの母親がふつうの家にはないものを寄せあつめて作った部屋だけに、とても個性的なのだ。ルーシー一家の部屋はありふれている。市内のあちこちで見かける間取りだ。

「はいはい、みなさん！　聞いてちょうだい！」ランチが終わったころ、ビドル先生が生徒たちに呼びかけた。「今日のみなさんの態度には、とても感心しました。そこで、特別にごほうびをあげましょう。テーブルの上になにも残らないよう、きれいにきちんとかたづけたら、みんなでソーン・ミニチュアルームへ――」

ビドル先生がいいおわらないうちに、クラスメートが「よーし！」とか「やったあ、つまらない見学は終わりだ！」などといいながら手をたたき、はやしたてた。

「あたし、前から見たいと思ってたんだ」ルーシーは、ランチバッグをさっさとかたづけながら、ジャックに声をかけた。

「えっ、ミニチュアルームに行ったことないのか？」ジャックは、ぎょうてんしていた。「だれもが行ってるんだと思ってた！」

「ううん、あたしは行ってない。パパとママがいうんだもん。『モネやピカソを見られるのに、なんでドールハウスの部屋なんか見に行くの？』って」

「サイコーだからに決まってるだろ！」

クラス全員が急いで後かたづけと掃除《そうじ》をしたところからすると、みんな、ジャックと同じ思いのようだ。ビドル先生が、少なくとも二人以上で行動し、ふらふらと離れないように、と注意する。ジャックとルーシーは、当然のようにペアを組んだ。

ルーシーは、ミニチュアルームになにがあって、どんなふうに感じるのか、なにも予想しないまま、11番ギャラリーに足を踏《ふ》み入れた。館内のほかの展示室とちがってカーペットが敷《し》きつめてあり、客の足音はくぐもっている。すでに三人のクラスメートがあちこち走りまわり、声をかけあっていた。ふだんはすごくクールな三人の女の子が、なぜこんなに興奮《こうふん》しているのか、ルーシーは好奇心《こうきしん》をそそられた。

そのわけは、すぐにわかった。

目の前の壁《かべ》の、ちょうど目の高さに、いままで見たこともないほどすばらしい部屋が、いくつもはめこまれていた。古びた安っぽいドールハウスとは、くらべものにならない。ルーシーは正面のガラス越しに部屋をひとつひとつのぞきこみながら（どの部屋も、靴箱《くつばこ》二つか三つ分の大きさだ）、なんてリアルな部屋なんだろう、と驚《おどろ》きをかくせなかった。魔法《まほう》をかけられた小さな世界のようだ。天井《てんじょう》が高く、凝《こ》った木工品や彫刻《ちょうこく》のみごとな家具のある部屋もあれば、中世のお城のような部屋、居心地のよさそうな魅力的《みりょくてき》な部屋もある。ミニチュアの絵画、カーペット、おもちゃ、本、楽器。となりの小さな部屋や廊下《ろうか》をのぞける部屋も多い。窓の向こうには、町なみや、木々と花でうめつくされた庭が広がっていたり、風景画が見えたりもする。

ルーシーはすっかり心をうばわれ、二十部屋ほど見てまわった。ふと、このミニチュアルームを考案した女性の肖像画《しょうぞうが》が、目に入った。その女性、ナルシッサ・ソーン夫人は、館内のほかの展示室に飾《かざ》られた肖像画の女性のように、つんとすましで、かしこまっているように見える。壁《かべ》の説明書きによると、ソーン夫人は子どものころからミニチュアを集めるのが大好《だいす》きで、大人になって結婚《けっこん》したあと、史料にもとづいて過去の部屋のレプリカを作ることにしたのだそうだ。ミニチュアルームの中のものはすべて実物の十二分の一の大きさで作られており、ソーン夫人はドアノブから燭台《しょくだい》のロウソクにいたるまで、細部を完ぺきに再現したくて、一流の職人たちをやとったのだった。

ルーシーはE1からE31まであるヨーロッパのミニチュアルームを順番に見てまわってから、A1からA37まであるアメリカのミニチュアルームに移動した。全部で六十八部屋だ。

植民地時代の質素な家のような部屋や、教科書で見た大農園のように豪華《ごうか》な部屋。完ぺきに作られたミニチュアのひとつひとつを見ていると、この部屋の中で実際に暮らせるような気がしてくる。

ルーシーは夢中になるあまり、ジャックが話しかけてきたことにぼんやりと気づくまでは、まわりの人のことなどすっかり忘《わす》れていた。

「おれ、金持ちになったら、城を建てるぞ！　ゲーム部屋と、ビリヤード台がたくさんある城だ！　ルーシーは、どれが気に入った？……おい、ルーシー？」

ルーシーは、どうしても声が出なかった。

「ん？　どうした？」とジャックはたずねたものの、それほど心配しているわけではないらしく、しゃべりながら前に走っていく。「こういうの、どうやって中に置いたのかなあ」

ルーシーは、ほっとした。いま、この瞬間《しゅんかん》を、ひとりきりで味わいたい。ああ、この中のどこかの部屋に住めたらいいのに――！

ここのミニチュアルームは、はるか昔、実際に人が住んでいた部屋を、そっくりそのままコピーしたものばかりだった。背の高い天蓋《てんがい》つきのベッドがある部屋をのぞきこみながら、ルーシーは思いをめぐらせた。このベッドには、どんな女の子が寝《ね》ていたの？　もしあたしにこんな部屋があったら、その部屋をひとりじめできるとしたら、あたしの人生はどのくらい変わる？好きなだけくつろいで、好きなだけひとりになれて、ステキな部屋にふさわしいステキな人生を、好きなだけ空想できるわよね。ひとつずつ部屋を見ていくたびに、ルーシーの頭の中は同じような気持ちではちきれそうになった。

床《ゆか》の真ん中に、石製のしゃれた浴槽《よくそう》が埋《う》まっている部屋があった。いったいだれが、こんな生活をおくっていたの？

りっぱならせん階段が、どんとしつらえてある部屋もある。

次は音楽室。ミニチュアの完ぺきなピアノと、繊細《せんさい》なつくりのハープが、それぞれ一台ずつある。どうやって、あんなに細い弦《げん》を作ったの？　小さなちょうつがいのある両開きのドアの先には、とびきり美しい庭が広がっていた。しかも噴水《ふんすい》がひとつあり、木々には鳥たちがとまっている。

そのあとは、革製の本がぎっしりつまった書斎《しょさい》。ルーシーの父親が気に入りそうな部屋だ。すでにジャックはソーン・ミニチュアルームの外に出て、ほかにおもしろそうなものはないか、とさがしていた。ルーシーがよく感じるように、ジャックはせっかくのチャンスをぜったい逃《のが》しはしない。

ルーシーは、最後のミニチュアルームをめざして角をまがった。そこからだと、ソーン・ミニチュアルームの入り口にいるジャックの母親が見えた。ジャックの母親は、ひとりの警備員としゃべっていた。ふたりの話し声や笑い声が聞こえてくる。

「ジャック、こちらはミスター・ベルよ」ジャックの母親が、息子を美術館の警備員に引きあわせた。ミスター・ベルはかなり背が高く、ひきしまった体をしていた。短く刈《か》った黒髪《くろかみ》のこめかみには、白いものがめだつ。年はいくつくらいだろう？　ジャックの母親のリディアよりは年上に見えるが、ルーシーとジャックがよくいう〝よぼよぼ〟まではいっていない。ルーシーもジャックも、大人の年齢《ねんれい》を正確にいいあてるのは苦手《にがて》だった。ミスター・ベルは、やさしそうな顔をしている。目のまわりのしわからすると、よくほほえむ人らしい。けれどその目は、悲しげでもあった。

「こんにちは」ジャックは握手《あくしゅ》しようと片手をさしだしながら、あいさつした。ジャックも、ときには、こんなふうに礼儀《れいぎ》ただしくなる。「このミニチュアルームの照明はどうなってるのか、知ってますか？　ミニチュアルームは、裏側《うらがわ》で全部つながってるとか？　メンテナンスの担当者なんですか？」ジャックは、つぎつぎと質問した。

「わたしはメンテナンス部門の責任者じゃないが、この階の責任者として、ミニチュアルームの警備を担当しているよ。ここは、うちの展示の中でもトップクラスの人気コーナーでね。で、きみの質問だが、たしかにミニチュアルームは裏で全部つながっている。裏側にせまい廊下《ろうか》があるんだ。きみも、その廊下のドアの前を通ったんだよ。まず、気づかないけれどね」

「どこか、教えてくれませんか？」

ジャックは、だれにでも、気おくれせずに頼《たの》みごとができる。

「ああ、いいとも。ついておいで」

ミスター・ベルは、ジャックと母親のリディアを展示室の中へと案内した。左側の壁《かべ》が少しくぼんでいて、そこにドアがある。そのドアには、ミニチュアルームの和室をながめているルーシーのほうが近かった。

「じゃあ、あそこから裏《うら》に入るんですか？」と、ジャック。

「そうだよ。まあ、そうは入らないがね。ミニチュアルームは、それほど手間がかからないんだよ。たまにほこりをはたいたり、電球をかえたりするくらいかな」

「裏側を見せてもらえませんか？」ジャックが、身を乗りださんばかりにして頼んだ。

「ちょっと、ジャック！　客のためにあのドアをあけるなんて、できるわけないでしょ！」母親のリディアが、たしなめる。

「そんなことを頼まれたのは、初めてじゃないかな」ミスター・ベルはおもしろがっているような顔であたりを見まわし、そばに子どもの集団がいないことをたしかめた。もうひとりの警備員は角をまがった先にいて、こっちの話は聞こえない。

ミスター・ベルが、ポケットからキーホルダーを取りだした。ホルダーには、いろいろな鍵《かぎ》がぶらさがっていた。家の鍵。車の鍵。〈シカゴ美術館〉というラベルが貼《は》られ、番号がふってある鍵も、三、四本ある。

問題のドアにはノブがなかった。鍵がないとあけられない。

「ほら、おいで」ミスター・ベルは鍵をさしこみ、ドアを少しあけながら、ちゃめっけたっぷりにいった。目が、輝《かがや》いている。「のぞいてごらん」

ジャックが、のぞきこむ。と同時に、ミスター・ベルはまたリディアのほうを向き、盗難《とうなん》の恐《おそ》れはまずないが、このドアにはいつも鍵をかけているのだ、と説明した。「これまでミニチュアルームからなにかを盗《ぬす》もうとした人は、いませんでしたし。ミニチュアルームは、上の階の作品とちがって、全部そろわないと価値がありませんしね。一点だけ盗もうなんて人はいませんよ。裏のせまいすきまからミニチュアルームに手を入れようとしたら、そうとう苦労《くろう》するでしょうな。修理のときは、正面のガラスをあける鍵が別にあるんですよ……」

ミスター・ベルがジャックの母親としゃべっているあいだに、ジャックがすかさず裏の廊下《ろうか》へとすべりこむのを、ルーシーは目撃《もくげき》した。

スリリングなものを期待していたとしたら、ジャックはがっかりしただろう。掃除《そうじ》用具と、一脚《きゃく》のイスと、積みあげられた箱しかない。あとはその奥に、ミニチュアルームの裏手から漏《も》れる光にうっすらと照らされた、せまい廊下《ろうか》がのびているだけ。劇場の舞台裏《ぶたいうら》のようだ。ジャックが、また外に出てきた。ジャックの母親とミスター・ベルは話に夢中で、ジャックが出入りしたことすら、気づいていない。

「すっきりしてるんですね。ありがとうございました」ジャックは礼をいった。

「うまくやったわね」報告をしにきたジャックに、ルーシーはむっとしながらいった。

「来いよ。ルーシーものぞけるかもよ」と、ジャックがルーシーの袖《そで》を引っぱる。

大半のクラスメートはすでにミニチュアの六十八部屋をほぼ見おわり、出口近くの廊下に集まりつつあった。

ジャックは、ジャックの母親とミスター・ベルが立ったまま、まだしゃべっている壁《かべ》のくぼみのほうへ、ルーシーを連れてもどった。「あの、ぼくの友だちのルーシーです。ルーシーにも裏側を見せてもらえませんか？」ジャックは、なんのためらいも見せずに頼《たの》んだ。

「きみのクラスメート全員に見せるわけにはいかないよ」ミスター・ベルはそうこたえたが、ルーシーのがっかりした顔に気づくと、あたりを見まわし、周囲に客がほとんどいないことを確認しながら、つけくわえた。「ええっと……ルーシーだったかな？　あと一回のぞいても、ばちはあたらないだろう。ただし、ちらっとのぞくだけだよ」

まだ鍵《かぎ》をかけていなかったので、ミスター・ベルは展示室のほうを向いて立ったまま、背後に手をのばし、わずかに手を動かしてドアをあけた。

中をのぞきこんだルーシーは、正直ちょっとがっかりした。映画『オズの魔法使《まほう》い』で子犬のトトがカーテンを引っぱり、魔法使いのオズを動かしている機械をあらわにしたシーンを初めて見たときと同じ気分だ。この廊下はどうしても必要だし、ミニチュアルームの〝日差し〟はありふれた電球光だとわかっていても、せっかくの夢が台無しになった気がする。正面から見るほうが、だんぜんいい。

「あっ、ちょっと失礼」ミスター・ベルはそういうと、一メートルほど離れ、ベタベタの指でミニチュアルームの正面ガラスに指紋《しもん》をつけそうになった幼《おさな》い子どもを、やさしく止めにいった。

ルーシーは、うす暗い廊下になかなか目が慣れなかった。けれどジャックは、ルーシーがのぞきこんでいた一分半のあいだに、積まれた箱の裏の暗がりになにかが落ちているのに気づき、それをつかんでポケットにつっこんだ。

「ちょっと、ジャック！」母親のリディアが、はっきりわかるようにささやいた。「こっちにいらっしゃい！　のぞくだけでしょ！」

ジャックは、おとなしくしたがった。ルーシーが「なにを見つけたの？」とたずねようとしたが、目で「あとにしろ！」と止める。

ふたりとも壁《かべ》のくぼみから、ミスター・ベルとリディアの前へと進みでた。ジャックが、背後のドアをしめる。

「じつは、うちの娘《むすめ》が子どものころ、放課後によくここに来て、宿題をやっていたんだ……きみたちよりも幼《おさな》かったな。箱をつくえがわりにしてね。その娘も、いまじゃいい大人だよ。そのくらい長く、わたしはここで働いているってわけだ」

「見せてくださって、ありがとうございました」ルーシーが礼をいった。

「ホントに、サイコーでした！」ジャックが、楽しそうにつけくわえる。

ミスター・ベルはほほえんで、ふたりに向かってウインクをし、手をさしだしてふたりと握《あく》手《しゅ》をすると、ジャックの母親のリディアとも握手した。

「お話できて、本当に楽しかったですわ。また、近いうちに、お目にかかれますように」

「こちらこそ」

「さあ、ふたりとも、みんなのところにもどりなさい」リディアが、ふたりに命じた。すでにクラスメートたちは、展示室の出口に集合していた。

「さっき見つけたものを見たら、ビックリするぞ！」ジャックが、ひそひそ声でルーシーにいった。

「なに？　また、お金？」

「もっといいものさ！」

「ほら、そこのふたり、ふらふらしない！」担任のビドル先生が、角をまがってふたりに近づきながら注意した。「次回はみんなといっしょにいるのよ。いいわね？」

「はい、ごめんなさい！」ジャックが笑顔でこたえた。

「まあ、終わり良ければすべて良し、だわね」ビドル先生も、ほほえみかえす。ジャックにほほえまれたら、腹を立てていられる人などいない。

ルーシーは思った。ジャックがニコニコ顔なのは、ポケットに見つけたばかりのお宝があるからなのよね。そのお宝を、ジャックはほかの人には見せたくないらしい。つまり、それだけステキなものってことよね――。

2 ジャックが見つけたもの

学校にもどるバスの中で、ジャックはみんなが遊びだすまで待った。あたりを見まわし、だれもこっちを見ていないのをたしかめる。そして――。「ほら！」ぼうしからウサギを取りだすマジシャンのように、ポケットから装飾《そうしょく》だらけの小さな金属の鍵《かぎ》を一本取りだした。手のひらに乗せ、袖《そで》でさっとこすると、鍵は銀色がかった金色に輝《かがや》いた。

「わあ、きれい！」ルーシーは感動していた。

「おれのコレクションの中では、ピカイチだな！　なんの鍵だろう？」

「これって、イニシャルかしら？」ルーシーには、葉と蔓《つる》の飾《かざ》りの装飾とともに刻まれた、凝《こ》った字体の文字が見えていた。

「CとN、かな」

「ううん、NじゃなくてMよ」

ジャックが手の中で鍵をひっくりかえし、ふたりでしげしげとながめた。

「ねえ、ジャック、これ、価値がありそうじゃない？」鍵を見つめるうち、ルーシーの頭の中を別の考えがよぎった。「ひょっとして……貴重品を盗《ぬす》んじゃったとか！」

そのとき、ブルーベリーマフィンがひとつ飛んできて、ルーシーのひざの上に落ちた。ジャックがあわてて鍵をにぎり、ポケットの中にもどす。

「あっ、ごめん！」バスの前方で、だれかが声をはりあげた。「ベンに投げたつもりだったんだ。こっちに投げかえしてくれよ」

「それは、どうかしらね」と、ビドル先生が通路を歩き、マフィンのほうへ片手をのばした。「みんな、ルールはわかってるわね。食べ物は投げない。バスでも、ほかのどこでも！」

ルーシーが、ビドル先生にマフィンをさしだした。

「あら、あなたたち、なんでそんなに気まずい顔をしているの？　あなたたちが悪《わる》いことをしたわけじゃないのに？」

「いえ、こっちのことで、ちょっと」ジャックはそうこたえると、一言つけくわえた。「それにしても、今日の社会科見学はサイコーでしたね」

ワオ！　ジャックって、ときどき、人を乗せるのがすごく上手《じょうず》！

「まあ、ありがとう、ジャック。お母さまにももう一度、つきそってくださったお礼をいっておいてね」

「ちょっとした手伝いが好《す》きなんですよ。いっときます」と、ジャックがほほえむ。

「はいはい、みなさん！」ビドル先生が、生徒たちにいった。「もうすぐ着きますよ。トランプ、お菓子《かし》のつつみ紙、CD、ほかのものも全部しまいなさい。車内にはいっさい残さないように。残したものは捨てますからね！」

バックパックを引きよせながら、ルーシーがいった。「美術館にもどらなくちゃ。明日の予定は？」

「ルーシーと美術館に行くさ！」ジャックは、すぐさまこたえた。

「ルース・エリザベス・スチュワート！」ルーシーの母親が、フルネームでルーシーを呼んだ。「ダイニングテーブルに置いたバックパックをかたづけて。夕食の準備を手伝ってちょうだい！」

「はいはい、わかりました」ルーシーは、しぶしぶ返事をした。リビングの片隅《かたすみ》に置かれた両親のコンピュータで、ソーン・ミニチュアルームについて情報を検索《けんさく》している最中だった。「すぐに行くから」

〝すぐに〟が数分にのびると、母親がやってきた。「宿題なの？」

「ううん。ソーン・ミニチュアルームについて調べてるところ。今日、シカゴ美術館で見たの」

「まさか、ドールハウスを見ただけじゃないでしょうねえ。勉強になるとは思えないわ」

「あそこのミニチュアルーム、ママは見たことあるわけ？」

「あそこのは見てないけれど、ミニチュアなら、もちろん見たことがあるわよ。子どものころは、ドールハウスも持ってたし」

「じゃあ、見てもいないものを批判するのは、やめてよね」ルーシーは、声をとがらせた。「ママだって、いつもそういってるくせに」

すぐに母親にきつく当たったことを後悔《こうかい》したが、もうどうしようもない。

「はいはい、そうね」母親はそういったものの、まだルーシーに対していらついている。「とにかく、支度《したく》を手伝ってちょうだいよ」

ルーシーは自分がしかめつらをしていることに気づかないまま、上《うわ》の空で、ナイフとフォークとスプーンを取りにいった。

「あのねえ、ルーシー」サラダを持ってダイニングにもどってきた娘《むすめ》に、母親が声をかけた。「いつかママを連れていって、あのミニチュアルームのどこが好きなのか、教えてちょうだい。思いこみは捨てることにするわ……とくに、あなたがおもしろいと思っていることに関しては」

「うん、わかった、ママ」

母親がキッチンにもどっていく。

ルーシーは、とても美しいソーン・ミニチュアルームのことが、頭からはなれなかった。自分が持っている食器や、いつも使っている紙ナプキンをながめる。あのミニチュアルームにくらべたら、皿も、テーブルも、イスも、部屋そのものも、すべてが色あせて見えた。そういったまわりのものが、自分の人生を映しだしている気がしてならない。まあまあだけれど、これといったことのない、つまらない人生を。

ふと、ジャックが見つけた鍵《かぎ》のことを思いだした。あの鍵のあるべき場所はどこ？　あれは、だれの鍵？　じつは行方不明になっていた貴重な骨董品《こっとうひん》で、見つけた謝礼に数千ドルをもらえるとか？　だとしたら、つまらなくはない！　もしかして、あの鍵には、いわくありげな、でも重大な歴史があるのかも――。

鍵が秘めているかもしれない未知の可能性に、ルーシーは興奮《こうふん》して、ぞくぞくしてきた。

翌朝――。ルーシーの両親は、クレアのサッカーの試合を観戦しに行くついでに、ルーシーをジャック宅まで送っていった。

ルーシーが到着《とうちゃく》したとき、ジャックはまだ朝食を食べおえていなかった。ジャック宅では、一枚の古い木の板から作ったテーブルで食事をする。板はやすりをかけて磨《みが》きあげてあるけれど、もともとテーブルではなかったので、くぼみや溝《みぞ》だらけだ。テーブルの脚《あし》は四本の木の切り株、イスはばらばらで、ジャックはぐるぐるまわる、実験室用の背もたれのないスツールに座《すわ》っていた。ほかに食事をしている人がいなければまわってもよし、というのが、ジャックの母親リディアのルールだった。

その日の朝、リディアはブルーベリーのパンケーキを作っていて、ルーシーにもすすめてくれた。箸《はし》で食事するとおもしろいかも、と思いついたジャックは、シロップがぽたぽたと垂《た》れるパンケーキに箸をつきさし、口に放りこんだ。

「ジャック、箸の持ち方がちがうでしょ！　ちゃんと持ちなさい」と、リディアが注意する。

その場で箸を取りあげなかったことに、ルーシーは驚《おどろ》いた。ふだんのリディアは、ジャックのテーブルマナーにきびしいのだ。けれど今朝《けさ》のリディアは、ほかのことに気を取られているらしい。

ジャックは母親の注意を聞きながし、パンケーキをごくりと飲みこんでから、「あのさ、ルーシー」としゃべりだした。「母さんがさ、きのう立ち話をした警備員のこと、知ってるっていうんだ……ええっと、なんて名前だったっけ？」

「エドマンド・ベルのこと？」

「そうそう、ミスター・ベル」

「名札《なふだ》を見て、あれっと思ってね」リディアがルーシーに説明した。「わたしが聞いたことのある人物と、見た目も一致《いっち》したし。あの人、もとは写真家なのよ」

「もとは、って？」ジャックがたずねる。

「二十五年ほど前に、華々《はなばな》しくデビューしたの。だれもが彼《かれ》の写真をほしがったものよ」

「どんな写真だったんですか？」これは、ルーシーだ。

「たしか、有名だったのは、世界中の人々を撮影《さつえい》した美しい写真ね。とくに評価が高かったのは、ここシカゴのアフリカ系アメリカ人社会で撮影したシリーズ。センスが抜群《ばつぐん》に良かったの。なのに、とつぜん辞めちゃったのよね。理由は知らないけれど」

「おれ、あの人、好《す》きだな」と、ジャック。

「わたしもよ。ところで、あなたたち、週末の宿題は多いのかしら？」

どうだったっけ、とジャックがルーシーを見る。

「いえ、ラッキーなことに、そんなにはないです」ルーシーがこたえた。

「おれたち、これから、また美術館に行くんだ」ジャックがパンケーキを食べながら、母親のリディアにいった。「ルーシーが、ミニチュアルームをもう一度見たいっていうんで。ルーシーはひとりで出かけちゃいけないっていわれてるから、いっしょに行ってあげるんだ」

「へーえ、そう。いいじゃない。ルーシー、パンケーキのおかわりは、どう？」

「いえ、もういいです。すごくおいしいんですけど、あたし、朝食は食べてきたんで」立ちあがり、皿を流しに運びながら、ルーシーはジャックが母親にあることを――できれば、聞きたくなかったことを――たずねるのを聞いてしまった。

「なあ、母さん、引っ越すことになるのかな？」

リディアが、ため息をついてこたえた。「そうならないといいんだけど。このロフト、すごく気に入ってるし。でも……まあ、心配するのはやめましょ。きっと、なにか起きるわよ」

きっと、なにか起きる――。ルーシーは、その言葉について考えないではいられなかった。まさにルーシー自身が、きのうからずっと感じていたことだった。

3

ルーシーの挑戦

ふたりはシカゴ美術館に早く着きすぎて、正面入り口への階段を守っているブロンズ製の巨《きょ》大《だい》なライオン像のそばで待たされた。

どんよりとくもった、寒い二月の朝。開館を待っている人はほかにもいるが、つきそいの大人がいない子どもは、ルーシーとジャックだけだ。

ルーシーの両親は最近になってやっと、市内の数カ所ならば親なしで出かけてもいいとみとめるようになったが、ひとりきりでの外出はまだだめで、ジャックと出かけてほしいと考えていた。世慣れてたくましいジャックから、良い刺激《しげき》を受けてほしかったのだ。ルーシーは、つい先日、携帯《けいたい》電話を持たせてもらえるようになった。といっても好《す》きにかけられるわけではなく、両親との連絡《れんらく》以外は使えない。それでもルーシーにとって携帯電話は最初の一歩で、少し自由になった気がしていた。

美術館の正面玄関《げんかん》があくと同時に、ルーシーとジャックは中央階段に直行し、地下におりた。ソーン・ミニチュアルームは、目と鼻の先だ。

ミニチュアルームに入ったとたん、ルーシーは胸に違和感をおぼえた。気味の悪い、いやな気分ではない。ほのかな熱が、四方八方にじわっと広がっていくような感じだ。奇妙《きみょう》だが、気持ちいい。ふりかえったら、ジャックの不満顔が目に飛びこんできた。

「ミスター・ベルは？　どこだ？」声がいらついている。

「なんでミスター・ベルがいなきゃだめなの？」

「おい、ルーシー、あの鍵《かぎ》がなんの鍵か、知りたくないのか？　それには、例の廊下《ろうか》にもどらなきゃならないだろ」

「それはムリよ」ルーシーもどこの鍵かすごく知りたかったが、もし答えが見つかるとしたら、ミニチュアルームを正面からながめればわかる、と考えていた。

「とにかく、ミスター・ベルが来ないことには話にならない。とりあえず、興味のあるふりをしようぜ」

「ふりをしなくても、あるわよ！」

今朝《けさ》のルーシーは、このミニチュアの世界をもっとながめていたい、という思いで頭がいっぱいで、裏《うら》の廊下《ろうか》をもう一度のぞきたい、というジャックの思いまでは気がまわらなかった。

「おれ、受付で、ミスター・ベルがいつ来るか、きいてくる」ふいに、ジャックがそういいだした。

「うん。きいておいでよ。あたしは、ミニチュアルームを見てるね」

ルーシーは展示室をぶらぶらし、手始めにアメリカのミニチュアルームを見てまわり、あるミニチュアの前で足を止めた。素朴《そぼく》なキッチンのミニチュアだ。暖炉《だんろ》の脇《わき》に、木でできた子ども用のちっちゃなイスがひとつある。暖炉は、中に入れそうなくらい大きい。そう、もし背丈《せたけ》が十三センチくらいならば。

さらに、ミニチュアルームを見てまわった。今日、初めて見る部屋もあるような気がしてくる。そのくらい、見るものがたくさんあるのだ。きのうは気づかなかったものに気づいたせいで、きのうはステキだと思った部屋よりも、今日はもっとステキな部屋がある。ものすごく細い羽でできた羽ペンが数本ささった、小さなインク入れ。ルーシーの小指の爪《つめ》よりも小さい花瓶《かびん》。その花瓶からあふれている、生花よりも新鮮《しんせん》に見えるバラの花。宝石がちりばめられた葉巻入れ。

この展示室は、何年たってもあきそうにない。

「なあ、どうだったと思う?」背後から近づいてきたジャックの声は、うろたえていた。

「さあ。どうだったの？」ルーシーは、正直あまり関心がなかった。

「ミスター・ベルは、週末はいないんだって！　ああ、もう、あの廊下には二度と入れないんだ……学校が休みにならないかぎり」

「どっちみち、裏側には、おもしろいものなんてないじゃない」

ジャックは信じられないという顔でルーシーを見つめ、「あるに決まってるだろ！」と、ルーシーから離れていった。すでにジャックは、持ち前の好奇心《こうきしん》をおさえきれなくなっていた。自由にすごせる土曜の朝、ルーシーがミニチュア観賞を楽しんでいるあいだ、ただぼうっと待っているなんて、まっぴらごめんだ！　壁《かべ》のくぼみへと向かった。もしかしたら、ほかの警備員をうまくときふせて、ドアをあけてもらえるかも――。しかし、ドアの前にもまわりにも、警備員の姿はなかった。くぼみをながめるうち、ジャックはあることに気づいた。ドアが、ちゃんとしまっていない！

「おい、ルーシー」ジャックは、ルーシーにかけよりながらいった。「きのう、ミスター・ベルは、ドアをしめたっけ？」

「さあ、気にしてなかったけど。なんで？」

「しまってないんだ！　たぶん、おれがちゃんとしめなかったんだな。カチッとしまる音を聞いたおぼえがない」

「そうね、ミスター・ベルは、ジャックのお母さんとおしゃべりしてて、気が散ってたし」

「ああいうドアは、自動的にカチッとしまるんだ。つまり、鍵《かぎ》はかかってない。おれたち、入れるぞ！　入れる。だれも見てないって！」

「ちょっとジャック、なにいってるの？」ルーシーが声をとがらせる。

「いいから、フツーにしてろよ」ジャックはルーシーの問いかけを無視し、ルーシーを引っぱっていった。

「ちょっと、フツーにしててほしいなら、袖《そで》を引っぱるのはやめて」

「わかった。でも、来てくれよな」ジャックが、ルーシーを放す。

壁《かべ》のくぼみのそばに来た。そのとき、若い一家が展示室に入ってきた。いま、ドアをあけるわけにはいかない。

「ねえジャック、ミニチュアルームを見るだけにしようってば！」ルーシーは腹を立てていた。

「でもさ、ルーシー……」といいかけたジャックが、ふと口をつぐんで、ルーシーをながめ、ポケットから鍵を取りだした。陽光を浴びているわけではないのに、真夏の強い日差しを反射しているかのように、鍵が輝《かがや》いている。

ルーシーは、鍵から目を離せなくなった。刻印されたCとMの文字が光をとらえ、ルーシーの顔を照らしだす。

と——ジャックがまた鍵をすばやくにぎりしめ、手の中にかくした。

この一瞬《いっしゅん》、鍵をちらっと見た一瞬が、決め手となった。ルーシーはいやがる自分の気持ちをおさえ、ジャックといっしょに裏《うら》の廊下《ろうか》に入りこむことにした。

それには、すばやく動かなければならない。手始めにジャックは、財布《さいふ》から図書館カードを取りだした。

「えっ、なに？」わけがわからずたずねたルーシーに、

「まあ、見てろって」ジャックは、謎《なぞ》めいた返事をした。

展示室の入り口に立っているひとりきりの警備員は、案内所の女性としゃべっていた。その背中は、こちらに向けられている。

ルーシーとジャックはそしらぬ顔で、数人の客をやりすごした。幸いなことにソーン・ミニチュアルームに来た人は、夢中になってミニチュアルームをのぞきこんでいる。ルーシーとジャックはチャンスを見はからって、すぐに行動を起こした。ルーシーが見張っているあいだに、ジャックが右手の指をドアにかけ、一センチほど飛びだしている錠《じょう》の縁《ふち》を左手でつかむ。

ドアは、わずかに手前に動いた。ジャックは、あたりを見まわした。あいかわらず、だれもこっちを見ていない。そのままドアを手前に引いてあけ、すばやく中にすべりこんだ。けれど、ルーシーは止まったまま、動かない。

「ルーシー！」裏《うら》の廊下《ろうか》から、ジャックが声をひそめて叫《さけ》ぶ。

そのとき、警備員がルーシーのそばに来た。ルーシーは、心臓がドキドキしてきた。ジャックがドアをしめる。ジャックはドアの向こう、ルーシーは置きざりだ。

警備員が向きを変え、また展示室の中へもどっていった。

ドアの内側にノブはない。ジャックはコート掛《か》けを見つけ、それを引っぱってドアをしめたのだった。ドアにオートロックの鍵《かぎ》がかからないよう、錠《じょう》とドア枠《わく》のあいだに図書館カードをはさんである。それでも、ルーシーの手助けはできない。ルーシーには、自力で入ってきてもらうしかない。時間を追うごとに、客は増えてくる。待てば待つほど、入りにくくなる。

ドクン、ドクンという心臓の音を聞きながら、ルーシーは次のチャンスをうかがった。警備員が客を案内しようと、こっちに背を向けた。そばに、だれもいない。ドアを一回ノックした。ジャックが、ルーシーのためにドアをおしあける。

侵入《しんにゅう》、成功！

「だれかに見られなかったか？」ジャックが、図書館カードを錠とドア枠のあいだにはさんでからたずねた。

「ううん。見られてない。ぜったい、だいじょうぶ」ルーシーは息をきらしながらこたえ、図書館カードを指さした。「ああいうの、だれに教わったの？」

「映画にさ」ジャックが、にやりとする。

ふたりはつま先立ちで、廊下の奥へと進んでいった。

「うっ、ううっ！」ルーシーは悲鳴をぐっとこらえた。うす暗い廊下で片手を壁《かべ》に走らせたら、べとつく糸がからまったのだ。まちがいない。クモの巣だ！　暗くて見えないクモの巣が、きっとまだたくさんある。ああ、クモは大っきらい！　できるだけおだやかな口調でいった。「ねえ、ジャック、こんなことしても意味がないんじゃない？　えらい目にあうかもしれないよ」

ジャックが、ひそひそ声でこたえた。「ミスター・ベルがいったこと、おぼえてるか？　ここは、それほど価値がないんだ。どうせ、だれも見てないさ。それに、おれたち、ただのガキだろ。なにをされるっていうんだ？」

「やだ、知りたくない！」

「そう長くいるわけじゃないし。あちこちながめて、鍵がはまる場所がないかさがすのに、数分あればいいだろ」ジャックが、ポケットから鍵《かぎ》を取りだした。鍵は、さっきと同じように、うす明かりの中で不自然に輝《かがや》いている。

さらに廊下《ろうか》の奥へ進み、ミニチュアルームの裏側《うらがわ》を十カ所ほど通りすぎた。奥に進むと、ミスター・ベルが初めてちらっとのぞかせてくれたときには見えなかったものが見えた。ミニチュアルームは木製の枠《わく》の中に作られていて、枠ごと、ひとまわり大きい箱の中に入っていた。その箱には、ルーシーが正面からのぞいた時に小さなドアや窓のすきまから見えた背景が描《えが》かれている。ミニチュア版ジオラマ、といった感じだ。箱の廊下側はきちんとふさがれていないものもあり、すきまから風景や街なみの絵の端《はし》がのぞける。修理の必要があれば、そこから手を入れられそうだ。側面がちょうど片手の大きさにくりぬかれた枠もあり、そういった開口部や小さなすきまから、ミニチュアルームの照明が漏《も》れていた。

裏にいるルーシーには、ミニチュアルームの中は見えなかった。正面から裏の廊下が見えないのと同じだ。

下枠どうしがつながって、すべてのミニチュアルームをつないでおり、すべてのルームには正面と同じように番号がふってある。

ルーシーもジャックも、明らかに鍵がはまりそうな場所は見つけられなかった。そのまま、曲がり角のある廊下を進んでいった。

「ここは、展示室の奥の壁《かべ》だな。この廊下は、部屋に沿ってぐるっとまわってるんだ」ジャックは走っていき、次の角をのぞきこんだ。「ああ、やっぱり。あそこで、行きどまりだ」

「あたし、こわいよ。なんでジャックは、へっちゃらなの？」

「悪いことをしてるって思ってないから。べつに盗《ぬす》みに入ったわけじゃないし、だれかを傷つけたり、なにかをこわしたりするわけでもないだろ」

「でも、不法侵入《しんにゅう》にはなるんじゃないの」ルーシーが皮肉《ひにく》をこめていう。

「そうかもな」ジャックは、気にするようすがまるでない。「鍵がはまりそうなところ、あったか？」

「もう一度、鍵を見せて」

ジャックが、ルーシーに鍵をわたした。ルーシーが鍵に直接触《ふ》れるのは、初めてだ。意外に重い。次の瞬間《しゅんかん》、摩訶《まか》ふしぎな現象が生じた。鍵に触れている手がじんわりと温かくなり、その熱が指先に広がったのだ。

「えっ、ルーシー……？」ジャックが、奇妙《きみょう》な顔でルーシーを見る。

さらにふしぎなことが起きた。窓のない廊下に立っているのに、髪《かみ》がそよ風に吹《ふ》かれでもしたように、なびきはじめたのだ。

ルーシーは、鍵《かぎ》から目を離せなくなった。靴《くつ》がやけに大きく感じられる。襟《えり》が耳もとまでせりあがってくる。

「ル、ルーシー！」ジャックがおびえた声を出した。

ルーシーは鍵から目をそらし、ジャックをちらっと見た。ほぼ同じ背丈《せたけ》なので、いつもなら目と目があう。けれどいま、前を向いたルーシーの視線の先にあるのは、ジャックの首だ！

「ルーシー！　鍵を放せ！　いますぐ！」ジャックの声は、わずかにうろたえていた。

ルーシーは床《ゆか》に鍵を落とした。鍵がチリンと、なんとも変わった音を立てる。と、奇妙《きみょう》な感覚がぴたっと止まった。つま先が靴の先にもどり、襟が首もとにおさまり、髪《かみ》は静かに肩《かた》にかかり、正面にジャックの目が見えた。

「なにが……あったの？」ルーシーは、少しぼうっとしながらたずねた。筋肉のようすがおかしい。体育で腹筋をしすぎた次の日のようだ。

「さあ」ジャックが鍵をひろおうとかがみこみ、ほんの一瞬《いっしゅん》ためらってから、手に取った。

「あっ、ジャック、ダメよ……」

それでも、ジャックはひろった。だが、なんの変化もない。

「ヘンだな。ほら、ルーシー、もう一度持ってみろよ」

「なにいってるの？　イヤよ」ルーシーはなにが起きているのか理解しようと、自分の身に起きたことをふりかえってみた。

「なあ、ルーシー、おれがこうして持っていても、なにも起きてないよな。となると、ルーシーが鍵をにぎったとき、なにかが起きたと、ふたりそろって想像しただけか……あるいは本当に起きたかだな。ルーシーが鍵に触《ふ》れないと、永遠にわからないぞ」ジャックはしばらく待ってから、つけくわえた。「知りたくないのか？」

ルーシーはジャックの手のひらの鍵を見つめるうち、ふと、なにかが胸をよぎるのを感じた。あれはなんだったんだろうと、ルーシーはそのあと何年もふりかえることになるのだが、その瞬間はジャックの挑戦《ちょうせん》を受けることにした。金属製の古い鍵のふしぎな輝《かがや》きが、ルーシーにいつもとかけはなれた行動を取らせたのかもしれない。とにかくルーシーは、考えるのはよそうと決め、「わかった、わかったわよ！」と、ジャックから鍵をもぎとった。鍵に触れた瞬間、さっきとまったく同じ感覚におそわれ、また鍵を放す。

ふたりは、顔を見あわせた。ジャックは口をあんぐりとあけ、目を大きく見ひらいている。あぜんとしたジャックを見るなんて、ルーシーには生まれて初めてだ。

先にルーシーがしゃべった。「また、ひろうわよ」

「ムリしなくていいんだぞ、ルーシー」いまはジャックのほうが、ルーシーより声がおびえている。

「それはそうだけど、さっきジャックがいったことは正しかった。あたしにはなにか起きたけど、ジャックには起きてないわよね。なにがどうなってるのかわからないなんて、あたし、がまんできない！　あたしにおかしなことが起きないように気をつけるって、約束して。いい？」

ルーシーは、かがみこんだ。「さあ、やるわよ！」

今度は鍵《かぎ》をしっかりとつかみ、にぎりしめた。まず、さっきのふしぎなそよ風を感じた。つづいてジャックがどんどん高くなっていき、まわりの部屋がのびていく。自分がちぢんでいる実感はないが、服が体にあわせて変化しているのはわかった。一瞬《いっしゅん》ぶかぶかになるが、すぐに小さくなった体にフィットする。それが数秒間に十回ぐらいくりかえされた。自分がどのくらい小さくなるのか、あるいは完全に消えてしまうのかわからず、鍵を放そうとしたまさにそのとき、変化が止まった。

ルーシーは、十三センチくらいにちぢんでいた。ふしぎなことに、気分は悪くない。

ジャックが四つんばいになり、ルーシーのほうへ巨大《きょだい》な顔をぬっとつきだした。

信じられないような光景だ。ジャックの髪《かみ》とまつげは、まるでロープのよう。いつもなら緑にしか見えない瞳《ひとみ》の中に、いろいろな色が見える。

「う、うわっ、ルーシー！　だいじょうぶか？」

「うん、たぶん。ホントに平気」ルーシーは、落ちついていた。「また鍵を放すから、さがったほうがいいんじゃない？」

「あっ、わかった。早くな！」

ルーシーが同じようにちぢんでいた鍵を手放すと、またしても逆の変化が起きた。服がキツキツになり、すぐにフィットするのが、十回ほどくりかえされる。目の前で鍵がもとの大きさにもどりながら、チリンというか、カサカサというか、なんとも変わった音をまた立てるのまで聞こえた。

「ふうっ！」ルーシーは、目にかかった髪をはらいのけた。

「もう、そいつに、二度とさわるな！」ジャックは、いまにもふるえだしそうだ。

「あのねえ、ジャック。あたし、ホントにだいじょうぶだと思う。だって、ほら、ね。なんともないでしょ。なんで、あたしだけなの？　どうしてジャックにはなにも起きないの？」

「さあ、おれにもさっぱりだ。とにかく、おれはイヤだからな！」

ふたりとも、少しのあいだ、だまっていた。おたがい、相手の考えていることがなんとなく読めたし、その読みは当たっていた。ルーシーは、もう一度ちぢんでミニチュアルームに入るつもりだったが、ジャックが止めに入るだろうな、と考えていた。ジャックはルーシーの思いを感じとり、実際にどうやって説得してやめさせようかと考えていた。

いままで感じたことのないこの勇気は、いったいどこから来ているのだろう？　ルーシーには、よくわからなかった。心臓がこんなにドキドキしたことはない。ジャックと同じくらい、ふるえてしまいそうだ。それでも、恐怖《きょうふ》に負けるなと直感が強くつげていた。単に好奇心《こうきしん》をおさえきれないだけ？　とにかく、自分の身にわくわくするようなことが起きようとしているのはまちがいない。そう、やっと、ようやく、わくわくしてる！

ルーシーは深呼吸した。「ねえ、ジャック。最後にもう一度やらせて。それでね、ミニチュアルームのどこかに、あたしを入れてくれない？」

「やめたほうがいいんじゃないか。危険かもしれないぞ」

「わかってる。でも、悪いことは起きない気がする。それにね、なぜ、こんなふうになるのかわからないけど、ひょっとするといまだけかも。このチャンスを……ミニチュアルームに入れるかどうか、たしかめられるチャンスを、あたし、逃《のが》したくない！」

「でも、正面からのぞきこむ客は、どうするんだよ?」

「よーく、注意する。だれかに見られたら、彫像《ちょうぞう》みたいにぴたっと止まるから。それに、ミニチュアの人間を見たとしても、信じる人なんていないわよ」

「わかった。ただし、五分だけだぞ。警備員が入ってきて、おれをつかまえるかもしれない。そうしたら、ルーシーはひとりきりで、にっちもさっちもいかなくなる。とじこめられる可能性だって、あるんだからな」と、ジャックが注意する。

「裏《うら》の廊下《ろうか》の、角をまがったこんな先まで、来るわけないわよ」と、ルーシーは鍵《かぎ》をひろった。

また同じ変化が起こり、ほどなくルーシーは、さっきと同じように、床上《ゆかうえ》十三センチから世界をながめていた。ミニチュアルームの裏側は、ほとんど見えなかった。高すぎて、見えない!

鍵をポケットに入れても、小さいままでいられる――?　不安になったルーシーはまっさきにためし、ルーシーの体に触《ふ》れている服にも、ルーシーの手と同じような魔法《まほう》の効果があることをつきとめた。

「じゃあ、持ちあげるぞ」ジャックが、床にぺたんと手を置いた。ルーシーは、その手によじのぼらなければならない。鍵は、しっかりポケットにしまってある。

ジャックの指紋《しもん》は、うね織りのビロードのようだった。手のしわは、ソファーのクッションのしわのように大きい。ルーシーが転がりおちないよう、ジャックが手のひらをわずかに丸める。ルーシーは、バランスを取りなおさなければならなかった。トランポリンに乗っている気分だ。

「あっ、悪い。じゃあ、ゆらさないように動くからな。マジかよ。ネズミサイズの小さいルーシーなんて！」

「いちばん近いミニチュアルームの裏側《うらがわ》の、下枠《したわく》に乗せてくれればいいから。そうしたら、客がいないかどうか、のぞいてみる」

ジャックは、E17〈十六世紀のフランスの寝室《しんしつ》〉の背後に近づいていった。「気をつけるんだぞ」と、下枠のほうへ手をおろしながらいう。

ルーシーは、ジャックの巨大《きょだい》な手のひらから、苦労《くろう》しておりた。いまの位置からだと、床《ゆか》までの距離《きょり》が、グランドキャニオンの高さに思える。天井《てんじょう》は、はるか遠くの空のようだ。ミニチュアルームをとめているネジの頭は、キッチンスツールのシートのように大きい。いちばんむずかしいのは、ミニサイズに慣れることだ。考えこんだり、きょろきょろしたりすると、目がまわる。

ミニチュアルームE17の寝室には、手前にあるミニチュアのせまい通路から入れるようになっていた。「ふんふん、なるほど……。そこの角まで行って、のぞいてみるね」ジャックに聞こえるよう、小さな声ではっきりといった。

ルーシーがせまい通路に入りこむと、ジャックにはルーシーの姿も、正面からのぞきこんでいる客の姿も、見えなくなった（ちなみに客たちにも、ルーシーの頭にのしかかるようにしてミニチュアルームを照らしている電球は、見えない）。このせまい通路は、正面から見ている客からは、寝室の奥のドアからわずかしか見えない。彫刻《ちょうこく》のほどこされた木製のドアは、少しあいたままになっている。ルーシーは身を乗りだして、寝室をのぞきこみ――すぐさま引っこんで、廊下《ろうか》にいるジャックのところまでもどった。「うわっ！　正面にだれかいる！」

「見られたのか？」

「ううん、きっとだいじょうぶ。十かぞえて、また見てくるね」

十かぞえて、またのぞいたら、今度はだれもいなかった。

寝室に入りこんだ瞬間《しゅんかん》、ルーシーは入って正解だったと思った。この瞬間のことは、きっと一生忘《わす》れない。非の打ちどころのない、完ぺきな幻想《げんそう》の世界。シカゴも、シカゴ美術館も、二十一世紀からも、離れてしまったような気分だ。

幼《おさな》いころのルーシーは、おとぎ話が大好《だいす》きだった。さすがにいまはおとぎ話など信じていないが、騎士《きし》や王や女王のいる時代、人々はどんな生活をおくっていたのだろう、と想像することはある。いま、自分が立っているここは、まさにその想像どおりの部屋だ！　ルーシーは生まれて初めて、特別な気分を味わっていた。

自分と同じサイズの空間にいると、ほっとして、めまいがおさまった。右側にはステンドグラスの大きな窓がひとつ。左側には石造りの暖炉《だんろ》がひとつ。数種類の四角い木を組みあわせて作った、凝《こ》った幾何学模様《きかがくもよう》の床《ゆか》。窓の前の彫刻《ちょうこく》がほどこされた美しい台には、作りかけの針編み刺繍《ししゅう》がかけてある。高さ六メートル弱——実際には、五十センチ弱——の天井《てんじょう》からは、本物のロウソクが置かれた三層の燭台《しょくだい》のシャンデリアがぶらさがり、天井は、つる草と鳥の模様が全面に描《えが》かれた茶と金の壁紙《かべがみ》におおわれている。

けれど、ルーシーがいちばん魅《み》せられたのは、銀色がかった光沢《こうたく》のある緑のシルクにおおわれた、巨大《きょだい》な——十三センチの少女にとっては巨大な——天蓋《てんがい》つきのベッドだった。きのう、ステキだな、と思ったのもこれだ。かけよって飛びのりたくてたまらないが、ぐっとこらえた。

だれかが近づいてくる！　見られる直前に相手の姿をとらえ、せまい通路に走ってもどり、ようすをうかがった。ラッキーなことに、ガラス越しに客たちのくぐもった声が聞こえる。

「まあ！　見て、これ！」

「これ、わたしのお気に入りなの!」

ようやく、客の波がとぎれた。ルーシーはまた寝室《しんしつ》に入って、ベッドに歩みより、指を少し食いこませて、シルクのカバーに片手をすべらせた。羽毛《うもう》のつまった本物のベッドみたいに、やわらかい。そう、これは本物。ミニサイズなだけで本物なのだ、と自分にいいきかせる。

ダメ、もう、がまんできない! ベッドの端《はし》に座《すわ》ってみた。うっとりするくらい、ふかふかだ。汚《よご》れた靴底《くつぞこ》が美しいシルクに触《ふ》れないよう、両足をあげて、枕《まくら》に頭を乗せた。頭上の高い天蓋と、その奥の、梁《はり》のある、模様入りの天井が目に入る。なんで現代は、こういう暮らしをしないの?

窓のほうへ顔を向けた。窓の向こうの街なみが、みごとに描かれている。通りを歩けそうな気がしてくる。外の通りを歩いたら、どんな気分だろう? 目をとじて、想像してみた。ついきのうまでは、自分の人生になにか特別なこと、わくわくするようなことが起きたらいいのに、と思っていた。なのにいまは、ミニチュアの女の子になって、別の時代のミニチュアの部屋にいる。ひょっとして、夢? 目をあけてみた。ううん、夢じゃない。また、目をとじた。

ふいに、ガラスの向こうで声がした。「ママ、ママ、来て! 見て! ちっちゃな人がいる!」

六歳《さい》ぐらいの、幼《おさな》い女の子の声だ。

ルーシーは寝《ね》そべったまま、片目をあけてみた。その女の子はピョンピョン飛びはねながら、「ママ！　来て！　来て！」と、ミニチュアルームとはちがうほうを向いて叫《さけ》んでいる。

その子が顔をそむけているすきに、ルーシーはベッドから飛びおり、ドアまでダッシュし、奥の通路にかけこんだ。

そこからでも、女の子の声はよく聞こえた。その子の母親も、すでにミニチュアルームの前に来ていた。「でも、さっき、ここに、ちっちゃなお人形さんがあったんだもん！　どこかに行っちゃったけど！」女の子は、そういいはった。「ミニチュアルームに、お人形さんはいないのよ」母親がなだめる声がする。しばらくいいあってから、ようやくふたりともいなくなった。

ルーシーは、ジャックのいる裏《うら》の廊下《ろうか》に顔をつきだした。

「どうした？　だれかに見られたのか？」

「幼《おさな》い女の子にね。でも幼すぎて、ママに信じてもらえなかったみたい」ルーシーは、さらっとこたえた。「あーあ、ジャックもいっしょに入れたらよかったのに！　サイコーよ！　ベッドに寝そべってみたの！　本物の寝室《しんしつ》にいるみたい。ううん、本物よりずーっとステキ！」

「そろそろやめにして、出ようぜ」

「ううん、まだダメ。あとひと部屋だけ、見たい！」

「おい、ルーシー、マジでヤバイぞ！」

ルーシーは、立場が逆転していることに驚《おどろ》いていた。あたしにとってすごく大事なことなのに、ジャックったら、なんでわかってくれないの――？　ジャックの気持ちを想像してみたが、ねたんでいるとしか思えない。「あと、ひと部屋だけ。そうしたら、鍵《かぎ》を放すから。約束するから、ね」ルーシーは、なんとかジャックを説得しようとした。

「あっ、そうだ、鍵は？　どこだ？」ジャックが、ぎょっとしたようにたずねる。

ルーシーはポケットをポンとたたき、「ここよ。心配しないで。さあ、行きましょ」と、窓下の横木のようなせまい下枠《したわく》を歩きだした。いまのミニサイズだと、崖《がけ》から落ちるような気分を味わうことなく、じゅうぶん歩くだけのスペースがある。とはいえ、木製の下枠は、一部とぎれていた。実際には一センチくらいだが、ミニサイズのルーシーには、落ちてしまいかねない裂《さ》け目だ。立ちどまって、ジャックを見る。

ジャックが、おれに助けてくれっていうのかよ、とばかりに見つめかえし、親指と人差し指でそうっとルーシーをつまんで、裂け目の向こうにおろした。

「ありがと、ジャック」

そのまま前進し、ようやくE12〈一八〇〇年のイギリスの応接間〉にたどりついた（〈一八〇〇年のイギリスの応接間〉であることは、壁《かべ》の説明書きを見ておぼえていた）。この部屋をのぞきたいのは、楽器が置いてあるからだ。音が出るかどうか、たしかめてみたい。

応接間には、横のドアから入れるようになっていた。ほかの多くの部屋と同じように、このミニチュアルームも、正面からは一部しか見えないせまい部屋ととなりあっている。ルーシーはそのせまい部屋で、ミニチュアルームをのぞいている客がだれもいなくなるのを、じっと待った。壁にかかった白黒の大きなスケッチ画の下、応接間に通じるドアのすぐ横に、彫刻《ちょうこく》がほどこされた木製のベンチが一脚《きゃく》、置いてある。

展示室からの声がとぎれるのを待って、応接間に入った。この応接間は、E17の寝室《しんしつ》とは趣《おもむき》がかなり異なっていた。E17よりせまく、天井《てんじょう》が低く、壁は白一色だ。真正面には、出窓がひとつ。日当たりのよい春の庭に面した窓の下には、金色のシルクのカバーのかかったベンチが一脚。左側には、大理石でできた暖炉《だんろ》がひとつ。炉棚《ろだな》には、青と白の小さな陶器《とうき》が数点。その暖炉のすぐ先には、一台のチェンバロ。窓辺のベンチには、ケースの中に繊細《せんさい》なつくりのバイオリンが一挺《ちょう》、置いてある。

ルーシーがさらに一歩出ようとしたそのとき、複数の声がした。あわてて応接間から退却《たいきゃく》し、またようすを見る。まったく、美術館がからっぽなら、はるかに楽なのに！

ようやく客たちが通りすぎた。ルーシーはチェンバロにまっすぐ歩みよると、鍵盤《けんばん》をひとつ、指でそっと押《お》してみた。鍵盤はかたいが、なんとかいちばん下まで押せた。音が出る！　響《ひび》かないし、キーが狂《くる》っているけれど、まちがいなく本物のチェンバロだ！　和音をためしてみた。スゴい！　こんなにちっちゃな楽器、いったいだれが作れるっていうの？

ぐずぐずしているひまはない。いつまた客が通りかかるか、わからない。窓辺のベンチへと二歩進み、バイオリンを手に取った。三年生のときに一学期間バイオリンを習ったので、バイオリンの持ち方や弦《げん》の使い方は知っている。ためしに弾《ひ》いたら、かんだかい音が出た。さらに弦を往復させてみた。うん、まずまずだ！

そのとき、また複数の声が近づいてきた。バイオリンをケースにもどしているひまはない。逃《に》げろ！

ルーシーがダッシュして部屋をつっきり、ドアの外に出たとたん、ふたりの年配の女性があらわれた。

「あら、メアリー、なにか聞こえなかった？」

「ネズミの音みたいねえ！」

美術館の客には、もっと注意しなくちゃ――。ルーシーは、裏側《うらがわ》の廊下《ろうか》に出た。廊下では、ジャックがいらいらして、行ったり来たりしていた。

「ジャック、ほら、聞いて！」ルーシーは、バイオリンをキーキーと鳴らした。

「スゲえな。でもおれ、ルーシーのせいで、生きた心地がしないよ。そいつをもどして、ここを出ようぜ！」

ジャックのいうとおりなのは、わかっていた。ルーシー自身、これ以上あぶない橋をわたりたくはない。

応接間の入り口までもどり、客がとぎれるのを待った。これが、いまでは難問になっていた。美術館の客は、どんどん増えている。だれもいなくなったすきに、バイオリンをケースにもどし、最後にもう一度部屋を見まわしてから、外に出た。

「オッケーよ、ジャック。さあ、あたしを床《ゆか》におろして」ルーシーは下枠《したわく》に立って、廊下のジャックのほうへ向きなおり、ジャックがまたしてもさしだした手のひらによじのぼった。ジャックの手は、さっきとちがって、すこし湿っていた。

ジャックが床にかがみこむ。ルーシーはベッドからおりるときのように、ジャックの手のひらの端《はし》から、両足をつきだした。床に立ち、ポケットから鍵《かぎ》を取りだして落とし、さっきと同じ感覚を味わいながら、またもとのサイズにもどった。鍵も床にぶつかって拡大しながら、さっきと同じく、なんとも変わった音を立てる。

「さあ、行こう」

「ちょっと、ジャック！」ルーシーは、信じられない、という顔でジャックを見た。「鍵を忘《わす》れないでよ！　あたしは運べないんだから！」

ジャックは一瞬《いっしゅん》ためらった。不安なのだ。それでも、無傷で完全にもとの姿にもどったルーシーは、ジャックの好奇心《こうきしん》が警戒心《けいかいしん》に勝つのを見まもった。ジャックが鍵をひろいあげ、ポケットに入れる。

廊下を引きかえし、角をまがって、ほうきと箱の山がある場所にもどった。ジャックがドアにはさんでおいた図書カードの端《はし》をつかみ、だれも見ていないのをたしかめようと、ドアを少しだけ押《お》しあける。ふたりとも暗い廊下に目が慣れていたので、美術館の照明に目がくらんだ。ルーシーもジャックも、無言だ。

ふたりとも、ついさっき起きた出来事にぼうっとしながら、外の展示室にそっと出た。のめりこむような映画を見たあと、暗い映画館を出たとき、たまに感じる気分と似ている。まわりの世界は、映画館に入ったときとなにも変わらない。ただ、自分の感じ方が変わっただけだ。

「もうちょっと見ていこうよ、ジャック。あたし、まだ帰りたくない」

ふたりは、展示室の中を見学した。ミニチュアルームを数部屋ながめたあと、ふたりはルーシーが天蓋《てんがい》つきのベッドに寝《ね》ているところを目撃《もくげき》した、あの幼《おさな》い女の子と出くわした。女の子は大きな目を見ひらいて、ルーシーを指さした。

「あっ、ママ、ちっちゃなお人形さんのお姉さんだ！　見て、見て！　どうして、いまはおっきくなっちゃったの？」

ルーシーは、とぼけた顔をすることにした。ありがたいことに、その子の母親は娘《むすめ》の手を引きながらルーシーにほほえみかけ、〝ちっちゃなお人形さん〟などというものはないし、ミニチュアルームのミニチュアが人の体の大きさになることなどありえないのだ、としんぼうづよく説明した。

ルーシーもジャックも、じつはありうることを知っていた。

ただし、なぜそんなことが可能なのかは、謎《なぞ》だった。

4　ミスター・ベル

「はい、どうぞ。気をつけて。熱いわよ」ジャックの母親リディアが、湯気をたてているホットココア入りのマグをふたつと、温かいオートミールのクッキーを乗せた皿を一枚、ロフトの広いテーブルの上に置いた。

「ココアとクッキーのレシピ、うちのママに教えてもらえませんか？　うちのママが作ったのより、ずーっとおいしいんで」と、ルーシー。お世辞《せじ》ではなかった。ルーシーの両親も料理の腕《うで》はなかなかだが、ジャックの母親の料理はずばぬけている。ホットココアは、とけたチョコアイスのよう。しかも、チョコアイスよりだんぜんおいしい。

「ありがとう、ルーシー。喜んで、お教えするわ」

リディアはふたりの横に座《すわ》り、ルーシーとジャックがだまって食べるあいだ、レシピを手早くメモしはじめた。

「ふたりとも、今日はやけに静かね。美術館は、どうだったの？」

「よかったよ」ジャックが、あわててこたえる。「おれ、スゲー、腹がへってるんだ」

「スゲー、じゃないでしょ、ジャック。正しくは、すごく。本当に、のほうが、もっといいわね」

「すごく楽しかったんです」と、ルーシー。「ほとんど、ソーン・ミニチュアルームにいたんですけど。あたし、あそこ、大好《だいす》き！」

「あそこは特別よね？」リディアがメモしながら、うなずいた。「そうそう、どこかにカタログがあったと思うんだけど……」テーブルから立ちあがって、画集ばかりがならんだ長い壁《かべ》に歩みより、少しさがして、一冊の美しい大型本を引きぬき、「はい、これ。いいわよ、しばらく貸してあげる」と、ルーシーにわたした。そのカタログには、ソーン・ミニチュアルームの写真がたくさんのっていた。ミニチュアルームを作った女性のことも書いてある。

「うわあ！　ありがとうございます！」

「ミニチュアルームといえば、今夜、ミスター・ベルを夕食にお招きしてるのよ」

「ミスター・ベルって、警備員の？」と、ジャック。その声にわずかにあやしむような響《ひび》きがあるのを、ルーシーは聞きとっていた。

「そう。ご近所だとわかったんで、せっかくだからお呼びしようかなと思って」

ルーシーは、ジャックを見た。いろいろあったせいで、ピリピリしてるのかも。なんといってもこの二十四時間で、ジャックはシカゴ美術館から古い鍵《かぎ》を盗《ぬす》み、大親友のルーシーが鍵をにぎって十三センチにちぢむのを目撃《もくげき》したのだ。しかも今度は母親が、その美術館の警備員のことをもっと知りたいと思っている。

「ミスター・ベルは、どこに住んでるんですか？」ルーシーは、ミニチュアルームのカタログをざっとながめながら、たずねた。

「すぐそこよ。わたしのお気に入りの、美しい石造りのマンション。ジャックも知ってるわよね。はい、これ」と、リディアがレシピをルーシーにわたした。「ちょっと買い物に行ってくるわね。ルーシー、うちで夕飯を食べていかない？」リディアは、すでに玄関《げんかん》でコートをはおっている。

「わあ、ありがとうございます。ぜひ。ママに電話して、きいてみます」

「リストを作ったほうがいいな」母親のリディアが玄関に鍵をかけて出かけたとたん、ジャックがいった。

「えっ？　リスト？」

「わからないことが、いろいろあるだろ。ミスター・ベルから答えを聞きだせるかもしれない」

ジャックは、つくえのひきだしから紙の束《たば》とエンピツを一本、取りだした。「漏《も》れがないようにしないと」

ルーシーは、ミスター・ベルが夕食に来るとわかって、ジャックがものすごく緊張《きんちょう》しているのがわかった。リスト作りは、パニックにおちいって暴走しないようにする、ジャックなりの自衛策なのだ。今回の体験はだれにも話せない、という事実が、だんだんルーシーにもわかってきた。もちろんジャックは別だが、ほかの人には打ちあけられない。そう思うと、自分がすごく特別な存在で、ふだんの生活から少し抜けだしたような気がする。目をとじて、あの夢のような体験を、頭の中でよみがえらせたい。

いっぽうジャックは、現実的な〈問題解決モード〉へ突入《とつにゅう》しつつあった。「さて、と……疑問その一。あの鍵《かぎ》には、どのような働きがあるのか？」といいながら、書きとめている。

「疑問その二。なんであたしがにぎったときだけ、働くのか？」ルーシーも、疑問をあげた。

「疑問その三。あの鍵で、なにかをあけられるのか？」

「疑問その四。ミニチュアルームには、ほかにも魔法《まほう》アイテムがあるのか？」

「疑問その五。ほかに知っている人はいるのか？　ミニチュアルームを作った人たちが編みだした魔法なのか？」ジャックが手を止め、ルーシーを見た。「おれ、あのバイオリンが気になるんだ。本物そっくりの音を出せるミニチュアのバイオリンなんて、作れるわけがないだろ。あれも、ぜったい、魔法だな」

「うん、そうよね。ミニサイズのときは、なんとも思わなかったけど」

「ほかに疑問は？」

ルーシーは少し考えてから、こたえた。「疑問その六。鍵の魔法は、別の場所でも効くのか？」

ジャックはハッとし、ルーシーを見た。その疑問は、まったく考えていなかったのだ。「その答えは、かんたんにわかるんじゃないか」

ふたりとも、だまりこくった。あの裏《うら》の廊下《ろうか》でなくても、鍵の魔法は効くのかも、と思うと、なぜか気おくれしてしまう。

あたし、そんな力が欲しいと思ってる？　つきつめて考える前に、ルーシーの携帯《けいたい》電話が鳴った。ディスプレイの表示によると、母親からだ。「もしもし、ママ」ルーシーは、なるべくいつも通りの声で出た。どこにいるの？　美術館は楽しかった？　お昼はちゃんと食べた？　という母親の質問にこたえてから、ジャックの家で夕食をごちそうになってもいいか、とたずねたところ、ちゃんと誘《さそ》われたのであればいい、という返事が返ってきた。

「ねえ、ルーシー、だいじょうぶなの？　声の感じが少し変よ」ルーシーがかくしごとをしていると、母親はなぜかいつも声の調子からそれを感じとってしまう。これぞ、まさに魔法《まほう》だ！

「ううん、いつもと変わらないよ、ママ」たしかにいまのルーシーは、いつもと変わらない。

ルーシーが電話しているあいだに、ジャックは立ちあがり、自分の部屋に移動していた。

ジャックの部屋とは、広いロフトの中に作られた、二階建ての〝ミニハウス〟だ。一階はリビング。コンピュータデスクと、ミニソファーと、ロフト側に窓がひとつある。二階はベッドルームだ。青と緑とオレンジの壁《かべ》には、母親とその友だちが作った工芸品や、ジャックが見つけたもの、写真やジャックが幼《おさな》いころに描《えが》いた絵など、ありとあらゆるものがぶらさがっていた。

こんなにカッコいい部屋は見たことがない、とルーシーは思っている。しかもルーシーとくらべると、はるかにプライバシーが守られている。でも、ジャックの母親のリディアが、家賃を払《はら》えなかったら――。ルーシーは、ふと頭をよぎった恐《おそ》ろしい考えを、ふりはらおうとした。

「やっぱ、あそこにもどらないと」と、ジャックが自分の部屋から出てきた。

「いつだって行けるじゃない」

「おれがいってるのは、裏《うら》の廊下《ろうか》だ」

ルーシーは、ジャックがすでにもろもろの不安を乗りこえていることに気づいた。

「計画を立てないとな、ルーシー。オートロックがかかってなかったのは、ラッキー以外のなにものでもない！　一筋縄《ひとすじなわ》ではいかないぞ」

「うん、そうよね。その点は、うっかりしてた」ルーシーも、まちがいなく、現実に引きもどされていた。

「さっきの疑問の答えをつきとめるには、美術館がしまったあと、あそこで長時間すごさないとな」ジャックが、大まじめにいう。「一晩、あそこですごすんだ！」

「ええっ、ジャック！　それはムリよ」ルーシーは、いつもの慎重《しんちょう》さをとりもどしていた。

「長時間すごすには、それしかないだろ。夜ならだれもいないし、ルーシーを目撃《もくげき》した子どもみたいな邪魔《じゃま》も入らない。な、そうだろ！」

たしかに。三十秒間、ミニチュアルームを出たり入ったりするだけでは、あの鍵《かぎ》について、なにもつきとめられない。それに、ミニチュアルームでまたすごせるというのは、かなりの魅力《みりょく》だ。どこかの部屋のベッドで眠れたら。豪華《ごうか》なテーブルにつけたら。春の庭に出られたら――。

「そんなことできるの、ジャック？　一晩家をあけたら、ばれちゃうわよ」

「ちゃーんと計画すれば、だいじょうぶさ」

「でも、オートロックがかかってないチャンスはもうないって、さっきいってたじゃない」

ジャックの案は無謀《むぼう》としか思えない。

「はいはい、たしかに。でもさ、おれたち、魔法《まほう》の鍵《かぎ》を見つけたんだ。そうあることじゃないだろ！」

ルーシーも、それには反論できない。ふたりともほぼ同じことを考えながら、だまって座《すわ》っているうちに、だんだん気持ちが変化して、たがいに歩みより——結論が出た。

エドマンド・ベルは、ルーシーがいままで出会った人の中でも、かなりおもしろいタイプだった。けれど、どことなく悲しげな雰囲気《ふんいき》もただよわせている。

リディアが料理し、ジャックとルーシーがサラダ用のトマトとキュウリを切るあいだ、ミスター・ベルは身の上話をしてくれた。ジャックの母親リディアは、身の上話を打ちあけたくなるようなタイプなのだ。リディアのなにが、まわりの人を和《なご》ませるんだろう？　ルーシーは知りたくて、リディアを観察していた。はっきりとはわからないが、秘訣《ひけつ》は人気者のジャックと同じ。そう、なにかの魔法だ。

魔法だなんて、ふしぎだな——。ルーシーにとって〝魔法〟という言葉は、がぜん大きな意味を持つようになっていた。もうひとつの魔法——鍵にまつわる魔法が、ルーシーにしか効かないというのもふしぎだった。鍵の魔法が効くような特別なものを、ルーシーは持っているのか？　鍵を見つける前のルーシーは、魔法など信じていなかった。けれどいまは、魔法の存在をたしかに感じている。

リディアがいっていたミスター・ベルの過去は、すべて当たっていた。デビュー当時は順調そのもので、アメリカ中の画廊《がろう》で写真が売れた。賞もいくつか取り、その仕事ぶりは雑誌や本で取りあげられた。

「じゃあ、エドマンド、なんで辞めてしまったの？」と、リディア。ここまで聞いてきたルーシーも、答えを知りたくてたまらない。どんな答えがかえってくるか、見当もつかない。

エドマンド・ベルは、間《ま》をおいてこたえた。「妻が病気になって亡くなったとき、やる気がうせたんだな。あれ以来、写真を撮る気にならないんだ」

しばらく、だれも口をきかなかった。ルーシーはミスター・ベルの答えに驚《おどろ》いたが、悲しげな顔をしているわけもわかった。疲《つか》れた目をしている人だとは思っていたが、疲れたなどというものではないこともわかった。

ジャックが沈黙《ちんもく》をやぶった。「シカゴ美術館の仕事は、気に入ってるんですか？　昔からずっと、ソーン・ミニチュアルームの担当なんですか？」

「ああ、美術館の仕事は大いに気に入ってるよ。美術に触《ふ》れられるし、人と関われるし、当然ながらすごく安定した仕事だしね。娘《むすめ》を育てるために、安定した仕事がほしかったんだ」

「お嬢《じょう》さんの話を聞かせて」リディアがせがむ。

「お嬢さんといっても、もう子どもじゃないんだが。もうすぐ三十になる。エバンストンで小《しょう》児科医《にかい》をしていてね。それでも、わたしにとっては、いまだにかわいいおチビさんだ。キャロライン・ベル先生だけどね」娘の話をするとき、ミスター・ベルの黒い目は輝《かがや》いていた。「あの子は七歳《さい》で母親を亡くしてね。写真家として暮らしを立てていくのはムリだとわかった時点で、美術館の仕事はまさにうってつけだと思った。わたしにとっても、娘にとっても。学校のない日は美術館に連れていけるし。そうそう、あの子は、ミニチュアルームが好《す》きだった。きみたちと同じだね！」と、ルーシーとジャックにほほえみかける。

ミスター・ベルの表情が変わったのを見て、ルーシーはハッとした。疲《つか》れた表情が、電流でも走ったかのように輝いたのだ。

「お嬢さんは、ミニチュアルームの裏《うら》の廊下《ろうか》で、よく宿題をやってたんですよね？」ジャックがたずねた。

「ほう、きみは、細かいところまでよくおぼえているんだね」ミスター・ベルが、声をあげて笑う。

「ねえ、エドマンド、あなたの作品はどうなったの？　まだ、持っているわよね」これはリディアだ。

「初期の作品は……おそらくきみの記憶《きおく》にある作品は、全部箱にしまってある。大量にあるよ。また写真展をやらないか、と長年すすめられてきたんだが、わたしとしては見たくなくてね」

ルーシーはがまんできず、話に割りこんだ。「なんでですか？」

「わたしがいちばん気に入っていた作品は、ほとんどなくなってしまったんだ。妻と娘を撮《と》った写真だよ。写真展用に百枚ほど、ネガも写真もすべて、一冊のアルバムにまとめていた。それが、盗《ぬす》まれたのかどうかわからないんだが、ある日とつぜん消えてしまったんだ。いま、手もとにあるのは、結婚《けっこん》したばかりの数年間、キャロラインが赤んぼうだったころの写真が数枚のみ。個人的には、これが最高傑作《けっさく》だね。わたしの代表作だと思ってもらいたかった作品だ……」ミスター・ベルはまた間《ま》をおいて、大きなため息をついた。「あの家族写真は、わたしのすべてだった。取りかえせるものなら、なんだってさしだすよ」

こんな悲しい話は聞いたことがない、とルーシーは思った。ルーシーの母親は、家族アルバムをいつもきちんと整理している。ルーシーにとって家族写真をながめるのは、雨の日のお楽しみのひとつだ。ルーシーと姉のクレアが生まれる前の両親の写真や祖父母の写真、家族旅行のスナップ写真をながめていると、何時間でもすごせる。

「あのう……あたし、箱の中身を全部調べて、アルバムを探すお手伝いをしましょうか」

「ありがとう。だがね、本当にもう何度も、かぞえきれないくらい、調べたんだよ」

「ほかの写真を……箱にしまってある写真を、もしだれかに見せてもいいと思うようになったら、ぜひ見せていただきたいわ」これはリディアだ。

美術館に引っこんでいるなんて、せっかくの才能がもったいない、とリディアが思っているのが、ルーシーにはなんとなくわかった。

「ああ。いつの日か、その気になったら」ミスター・ベルは、リディアにほほえみかけた。

「ええ、ぜひ！　さあ、ジャック、テーブルをかたづけてちょうだい。ルーシーはテーブルをセットしてね」と、リディアがルーシーに食器をわたす。

長いテーブルは、ロフトの物置き場と化していた。教科書やバックパックや郵便物が、よく一方の端《はし》に積みかさなっている。今日のテーブルは、さっきルーシーとジャックが脱《ぬ》ぎすてたコートの上に、ミスター・ベルのコートまで置いてあった。

「ジャック、コートをかけてきてくれない？」リディアがラザーニャの皿を配りながら、つけくわえた。

イスの背にいくらでもかけられるのに、なんでわざわざかけてこなきゃいけないんだ？　ジャックはそういいたそうな顔をしていたものの、しぶしぶ三枚のコートをクロゼットにかけにいった。

ところがテーブルにもどってきたときのジャックは、別人のように態度が変わっていた。「さあ、食べようぜ！」と、イスに勢いよく座《すわ》る。

夕食の会話は、ルーシーとジャックの疑問リストの手がかりにはならなかった。大人ふたりは、地元の美術界や今後の展示会の予定、美術材料の値段といった話ばかりしている。

ルーシーはイライラしてきた。ところがジャックは、なぜかやけに機嫌《きげん》がいい。

「わたしの作品ばかり話題になっているが、リディア、きみの作品もぜひ見たいね」夕食が終わるころ、ミスター・ベルがいった。

「まあ、喜んで。エドマンドにアトリエをざっと案内しているあいだに、あなたたち、かたづけておいてくれない？」

「オッケー！」と、ジャックが皿を持って、イスからピョンと飛びおりた。いつものジャックらしくない。

そのわけは、リディアとミスター・ベルがダイニングから角の向こうのアトリエに移動したとたん、わかった。

ジャックは、ルーシーとともに、流しに皿を運んだ。「さっき、コートをかけに行ったとき、手ざわりでわかったんだ。ミスター・ベルのポケットに、美術館の鍵《かぎ》があるぞ！」と低い声でいい、肩《かた》ごしにふりかえってから、クロゼットまで走っていく。

ルーシーも後を追い、なにをしているのか、たずねようとした。が、ジャックがミスター・ベルのコートのポケットから鍵束《たば》を取りだすのを見た瞬間《しゅんかん》、その必要はなくなった。

ジャックは説明しなかった。だまってキーホルダーにぶらさがった六本の鍵をながめ、〈シカゴ美術館G11〉というラベルが貼《は》られた一本を抜きとる。ミスター・ベルが例のドアをあけるときに使った鍵だ。それを、自分のズボンのポケットの中にすべりこませた。

「ちょ、ちょっと、ジャック！」ルーシーが、ひそひそ声でいった。

「だいじょうぶだって。明日コピーを作って、オリジナルはミスター・ベルが月曜に出勤する前にちゃんと返すから。鍵がないことすら、気づかないって」

「明日は日曜よ。どこでコピーするのよ？」

「ウォバッシュのマーケットで。窓に鍵のネオンサインがある店があってさ。いつもあいてるんだ。朝一番にコピーして、鍵を返しにいく」

「迎《むか》えにきて。あたしも行く」

ルーシーとジャックはテーブルをかたづけ、食洗機に洗い物を入れはじめた。デザートは、三層のチョコレートケーキだ。待っただけの甲斐《かい》はある。

デザートが配られたころには、かなりおそい時間になっていた。ほどなく、階下の正面玄関《げんかん》のブザーが鳴った。ルーシーの父親が迎えにきたのだった。近所の自宅までは、歩いてすぐだ。

「じゃあ、明日、電話するから」ジャックが業務用エレベーターを操作《そうさ》して、四階から一階へおりながらいった。

「うん。あと、算数の宿題、忘《わす》れないようにね」ルーシーは、いつものクセで念を押《お》した。

エレベーターがゆっくりと止まり、ドアの窓ごしにルーシーの父親の頭が見えた。ジャックが、素人《しろうと》ばなれした手つきでエレベーターの金属製のゲートをあける。ジャックと、ルーシーと、ルーシーの父親は、おやすみなさい、とあいさつした。

ルーシーの父親はいつも、ルーシーの一日の出来事について聞きたがる。ルーシーは、なにもかも打ちあけたくてたまらなかった。父親ならば、ルーシーの冒険《ぼうけん》にわくわくしてくれるだろう。なにせ歴史をさかのぼって、十六世紀のベッドに横たわる気分を、実際に味わったのだ。けれど、さすがに打ちあけるわけにいかない。打ちあけたら、精神科医のところに連れていかれるに決まっている。だから、ジャックといっしょに美術館に行き、リディアの夕食の準備を手伝い、ステキなミスター・ベルとしゃべったことだけを報告した。

「ほーう、ずいぶん久しぶりに聞く名前だな。昔は、写真家としてかなり名前が売れていたんだ。再デビューはリディアにまかせよう。リディアなら、すぐにミスター・ベルの写真展にこぎつけるぞ！」

ルーシーの父親はリディアのことを高く評価していて、リディアのような芸術家は、他人のルールにしばられることなく、自分なりのライフスタイルを作りあげるものだ、とよくいっている。

そんな父親の言葉の意味が、ルーシーにはだんだんわかってきた。

もし心底欲しいと思うものがあるならば、自分で手に入れるしかない――。

5

再挑戦

翌朝――。ジャックは、朝の十時すぎにルーシーを迎《むか》えにきた。ふたりはルーシーの両親に、ビドル先生が月曜日から始める社会の新しい単元のためにノートを買わなければならないのだ、と説明し、一時間ほどでもどる、とつげておいた。

「鍵《かぎ》はコピーしといた。コピーにどのくらい時間がかかるかわからなかったし、長時間家をあけると、ルーシーのお父さんとお母さんがいい顔しないだろ」と、ジャック。「あとは、ミスター・ベルに鍵をもどすだけだな。ノートも買っておいた。バックパックに入れてある」

「ミスター・ベルに、あやしまれないといいけど……」ルーシーは、不安だった。

ふたりとも、ミスター・ベルのマンションまで、最短距離《きょり》で行くつもりだった。ジャックは、この一帯を知りつくしていた。路地という路地をくまなく歩き、どれが近道で、どれが行き止まりか、つきとめている。

大型ゴミ容器や車庫や物置き、恐《おそ》ろしくせまいスペースに車が何台もとめてある私道を、いくつも通りすぎた。たいていは、表の歩道より裏《うら》の路地のほうが、だんぜんおもしろい。

「ここだな」近づきながら、ジャックがいった。白っぽい巨大《きょだい》な石をくりぬいた、堂々たるアーチの奥の正面玄関《げんかん》に、近づいていく。窓のなかには、古そうなステンドグラスのものもある。

インターホンのプレートで、名前をさがした。「E・ベル。10B」ルーシーがリストから読みあげ、ブザーを押《お》す。

すぐに、ミスター・ベルの声が聞こえてきた。「おや、これは驚《おどろ》いた」ミスター・ベルがインターホン越しにそういいながらオートロックを解除し、エレベーターで十階にあがり、右にまがるように指示した。

ふたりとも、部屋にあがるつもりは毛頭《もうとう》ない。ジャックが入り口で鍵《かぎ》をわたすだけの予定だった。ところがミスター・ベルがドアをあけたとたん、ふたりは、背の高いミスター・ベルの背後に広がる空間を、ちらっと見てしまった。

「二十四時間で、二度目のこんにちは、だね。いらっしゃい」

「うわあ、ステキな部屋ですね！」

「ひととおり、見てごらん」

「じゃあ、ちょっとだけ。すぐにもどらなきゃいけないんで……宿題があるんです」ルーシーは、できるだけさりげなくいった。けれど内心ではミスター・ベルの部屋に圧倒されていて、のぞきたくてたまらない。

ミスター・ベルは、最上階の部屋に住んでいた。部屋は広くはないが、せまくもない。家具は使いやすそうで、生活感がある。大きなアーチ型の窓がいくつかあり、町のほぼ全体のりんかくとその奥のミシガン湖が見える。そのすばらしい風景にくわえ、床《ゆか》から天井《てんじょう》まで、形も大きさもスタイルもさまざまな美術品が埋《う》めつくしていた。

「美術品が、たくさんあるんですね！」と、ルーシー。

「まあ、そうだね」ミスター・ベルは、ひかえめだ。「どれも、だいぶ前に友だちが作ったものでね。昔は、おたがいに作品を交換《こうかん》したんだよ」

「うちの母さんも、よく交換してます」ふいにジャックは、ここに来た理由を説明していないことに気づき、「あの、これ」とバックパックをかきまわして美術館の鍵を取りだし、ミスター・ベルにわたしした。「うちのクロゼットに落ちてたんです。たぶん、そうかなと思って」

ミスター・ベルはすぐさま自分の鍵だと気づき、顔をしかめた。「なんてことだ！」首をふりながらそういうと、玄関のクロゼットに行き、コートのポケットに手をつっこんだ。「たしかに！　いや、でも、なんでそんなことが……？」

「ぼくなんか、しょっちゅうです。いつも、ものをなくしてばっかり。あっ、見つけるのも得意なんですけど」ジャックは、人助けが好《す》きなんだ、といいたげな声で、そうつけくわえた。「それ、大事な鍵《かぎ》なんですか？」

「鍵はどれも大事だよ……とくに、なくしたときは」

「〈シカゴ美術館〉って書いてあるんで、ベルさんのかなって思ったんです」

「ああ、その通りだ。それにしても、いったいなぜ……。まあ、よしとするか。これといった被害《ひがい》もなかったわけだし……」ミスター・ベルの声は、納得しているようには聞こえなかった。

ルーシーは不安になった。ひょっとして、ジャックの話を信じてない？　鍵を〝借りる〟のは、ジャックが思っている以上に、〝盗《ぬす》む〟に近いとか——？

ルーシーは、話題を変えることにした。「あの、お気に入りはあるんですか？　ここにある美術品の中で、ってことですけど」

「うーん、どうかな。どの作品もつきあいがかなり長いんで、昔なじみのようなもんでね。どれかひとつ、といわれても、選ぶ自信がないんだよ」

「じゃあ、ソーン・ミニチュアルームは？　お気に入りの部屋は、ありますか？」

「いや、とくには。だが、どうしても、ということならば、一九四〇年代のカリフォルニアの部屋だろうね。有名な画家が描《えが》いた絵が数点あるんだ。ソーン夫人が、画家にミニチュアサイズで描くよう、依頼《いらい》したものでね。しかし、なんといっても、ミニチュアルームをのぞきこんだ瞬間《しゅんかん》の客の反応を見るのが楽しいよ。きみたちは？　お気に入りは、あるのかな？」

「おれは、だんぜん、城の部屋！」と、ジャック。「サイコーですよ。ルーシーは、全部、大のお気に入りなんだ。とくに、天蓋《てんがい》つきのベッドのある部屋が。なぜか、わからないけど」

「うちの娘《むすめ》も、天蓋つきのベッドのある部屋は、いつも大好きだったよ」ミスター・ベルが、ほほえみながらルーシーにいう。

「あの、あたしたち、そろそろ失礼しないと」ルーシーは玄関《げんかん》に向かいながら、ふと、玄関ホールに飾《かざ》られたあるものに目をとめた。これもきっと、ミスター・ベルの作品よね――。

ミスター・ベルの次の言葉で、その読みが当たっていたことがわかった。「なくしてしまったシリーズの一枚だよ。赤んぼうのキャロラインを妻が抱《だ》いている写真。幸いなことに、ほかの写真がどこかに行ってしまう前に、その一枚は友人と交換《こうかん》していたんだ。どうしても取りもどしたくてね。わたしのいちばん大切な宝物のひとつなんだ」

「本当にステキな写真ですね。いろいろと見せてくださって、ありがとうございました」ルーシーがいい、「ありがとうございます」と、ジャックも同じく礼をいった。

「こちらこそ、鍵《かぎ》を持ってきてくれてありがとう、ジャック。お母さんによろしく。昨晩はごちそうさまでしたと、もう一度いっておいてくれないか」ふたりが廊下《ろうか》に出ると同時に、ミスター・ベルがいった。

「はい、わかりました。失礼します」ジャックがエレベーターのボタンを押《お》し、ふたりはだまって一階におりた。

外に出てから、ルーシーがたずねた。「信じてもらえたと思う？」

「どうだろうな」

ふたりは、路地を歩いていった。

「あっ、ネズミ！」ジャックが、ふたりの前をササッと走って物置きに飛びこむ、一匹《ぴき》の小さなネズミを指さした。

ちっちゃなネズミは、この世界で、どれだけ自分が小さいと感じているのだろう？　どれだけ心細いのだろう？　ルーシーは、まわりの建物を見あげた。広い世界の中で、あのネズミは、取るにたらないちっぽけな存在にすぎない。けれどルーシー自身はミニサイズになったことで、自分の存在が大きくなったような気がしていた。そんなことを考えていると、ミスター・ベルの家を訪《おとず》れたことを、くよくよと悩まずにすむ。

自宅マンションの正面玄関《げんかん》についた瞬間《しゅんかん》、ルーシーはあることを思いだした。「そうだ、ジャック、今度の火曜はなんの日だと思う?」

「大統領のだれかの誕生日とか?」

「午前中授業よ。教職員組合の日!」

オークトン校では、毎月第一火曜日はいつも午前中授業だ。ジャックは、こういうことをおぼえていたためしがない。今度の火曜の午後は美術館ですごす、ということで、ふたりの意見はすぐに一致《いっち》した。いま、ルーシーは、いままで味わったことのない感覚をおぼえていた。じれったくて、どうにもこうにもがまんできないのだ。これまでは、わくわくするような楽しみは待たなければならなかった。けれど、誕生日や長い休みの前でも、クリスマスや学年末の最後の日でさえも、こんな気分になったことは一度もない。

もう、ミニチュアルームにもどることしか考えられない!

ふたりが上《うわ》の空なのは、火曜日までに担任のビドル先生に見ぬかれてしまった。

「いったいどうしたっていうの、ルーシー? きのうも今日も、ぜんぜん集中してないじゃないの」

ちょっと疲《つか》れてるのかもしれません、とルーシーはこたえた。お姉ちゃんが今週末の大学進学適性《てきせい》試験にそなえて、夜おそくまで電気をつけっぱなしで勉強してるんです――。これは、事実だった。たしかにルーシーの姉のクレアは、夜おそくまで電気をつけている。けれど、そんなことは関係なかった。電気がついていようが、いまいが、ルーシーはなかなか寝《ね》つけなかっただろう。

ルーシーは姉とふたりで使っているきゅうくつな部屋で、飾《かざ》り気のないせまいベッドに寝そべり、リディアから借りたカタログをめくりながら、あのステキなミニチュアルームにいる自分を想像していた。カタログに書かれた各部屋の説明を、細かいところまで記憶《きおく》しながら、くりかえし読んでいる。頭の中は、過去の世界の豪華《ごうか》なベッドで眠れる可能性のことでいっぱいだ。

そして、火曜日――。授業は午前で終わり、ルーシーとジャックは、ミシガン通りを走るバスの中でランチを食べた。学校から美術館までは、そう遠くない。けれど今日は大雪なので、バスは耐《た》えがたいほどのノロノロ運転だ。しかも客の数がふだんよりも多く、ふかふかのダウンコートにくるまった客たちが停留所ごとに乗り降りする。ジャックは雪がとけてバスの床《ゆか》にできた汚《きたな》い水たまりに、片方の手袋を三度も落としていた。

ようやく美術館に到着《とうちゃく》すると、顔にまともに雪を吹《ふ》きつけてくる冷風にさからいながら、正面玄関《げんかん》への階段をのぼった。冬の外にさよならし、暖かくて風のない美術館に入るのは、まさに天国だ。

ふたりともまだ十二歳《さい》にはなっていないので、入館料は無料だが、バックパックをあずけるのに一ドルかかる。その一ドルを、ジャックはすべて小銭《こぜに》で払《はら》った。

悪天候のせいで、美術館は比較的すいていた。これは好都合《こうつごう》だと、ふたりとも階段を軽やかにおりながら思っていた。ふだんなら、地下のタッチギャラリーは学生のグループでこみあっているのだが、今日のシカゴの猛吹雪《もうふぶき》は、社会科見学をとりやめにするレベルだった。

「このぶんだと、裏《うら》の廊下《ろうか》に楽に忍びこめそうだな」角をまがりつつ、ジャックがひそひそ声でルーシーにいった。

ところがミニチュアルームの展示室に入ったとたん、ふたりとも、とんでもない思いちがいをしていたことに気づいた。11番ギャラリーの客がまばらなのは、まちがいない。しかし、あたりまえの事実を見おとしていた。そう、ミスター・ベルだ！　ミスター・ベルがいることを、どうして忘《わす》れていたのか？　今日は火曜日。ミスター・ベルが休むのは、週末だけ。ミスター・ベルは、壁《かべ》のくぼみのすぐそばの所定の位置にいる。鍵《かぎ》がどれだけたくさんあっても、魔法《まほう》やほかのものがあるとしても、関係ない。ミスター・ベルがそこに立っているかぎり、すべて役に立たない。

「おやおや、また会ったね！」ミスター・ベルが、愛想《あいそう》よく声をかけてきた。「まさか今日、ここで会うとは！　外はまだ大雪かな？」

「はい、ムチャクチャ降ってます」ジャックがこたえ、「だから、あたしたち、ここに来たんです」と、ルーシーがつけくわえた。「今日は午前中授業なんですけど、外じゃなにもできないし。雪が横から吹《ふ》きつけてくるんだもん！」

「こんな日は、みんな家にこもるからね。それでも、お客さんが来てくれるとうれしいよ。きみたちは、もう常連さんだ」

「はい、シカゴのお気に入りの場所になっちゃいました」と、ルーシー。

「ほーう、今日は、たっぷりと楽しむのにもってこいだ」

今日の午後、ジャックといっしょに裏《うら》の廊下《ろうか》に入れないのは残念だが、心ゆくまでミニチュアルームを見物できる。ルーシーは、一列目を端《はし》から端までながめていった。緑のシルクにおおわれた天蓋《てんがい》つきのベッドのある部屋や、かわいらしい楽器のある部屋も見た。

「おい、ルーシー、いいこと思いついた」ジャックがあたりをうかがってから、小声でいった。

「ミスター・ベルに、お気に入りの部屋を見せてくれって頼《たの》んでくれよ」

「えっ、なんで？」

「ミスター・ベルのいったこと、おぼえてるか？　ミスター・ベルのお気に入りは、角をまがった先のカリフォルニアの部屋だ。そこからだと、あのドアは見えない。コピーした鍵《かぎ》を使えるかどうか、おれがたしかめるよ」

ルーシーはジャックと左右に別れ、さりげなくミスター・ベルに近づいた。「いちばん人気があるのは、どの部屋なんですか？」

「どれとは決めがたいんだが……まあ、アメリカの初期の部屋はけっこう人気があるみたいだね」

「ベルさんのお気に入りの部屋に、案内してくれませんか？」

ミスター・ベルは、ルーシーにほほえみかけた。「こっちだよ」

ミスター・ベルはルーシーを連れて角をまがり、ミニチュアルームの中でもいちばん最後の番号の部屋へと向かった。一九四〇年代のカリフォルニアの部屋だ。上の階で見た絵画とよく似たミニチュアサイズの絵が、何点も飾《かざ》ってある。芸術家が好《この》みそうな部屋なのは、ルーシーにもわかった。

ルーシーは、なるほど、という顔でミスター・ベルにほほえみかけた。「この部屋、あたしも好《す》きです！」

ミスター・ベルは、ソファーの上に飾《かざ》ってある、一枚のミニチュアの絵を指さした。「あれが見えるかい？　フェルナンド・レジェの絵だ。わたしのお気に入りの画家でね。レジェの絵は、上の階でも見られるよ」

ルーシーは感心した。

そのころジャックは壁《かべ》のくぼみまでダッシュし、コピーした鍵《かぎ》を錠《じょう》にさしこんで、スパイさながらに、裏《うら》の廊下《ろうか》にすべりこんでいた。ドアを引いてしめると、図書館カードをはさんでいないので、自動的に施錠された。鍵が使えるとわかった以上、もう用はない。廊下側からそっと錠をあけ、ほんの少しドアをあけたら、こっちにまっすぐ向かってくるルーシーとミスター・ベルが見えた。

ルーシーはドアがわずかにあいているのに気づき、ぎりぎりのタイミングで動いた。「あっ、あの、あたしのお気に入りも見てください」といって、くるっと反対方向を向く。ラッキーなことに、ミスター・ベルはついてきてくれた。

じつをいうとルーシーは、どの部屋を見せるか、考えていなかった。とにかく、角をまがった先の部屋にしないと！　ニューイングランドの寝室《しんしつ》に案内し、その前に立って、どこが気に入っているのか説明し、ミスター・ベルを足どめした。どうかジャックが、このチャンスを生かしてくれますように！

ジャックはドアに耳をつけた。なんの物音もしない。ドアの外にだれもいないか、あるいはドアが防音扉《とびら》になっているか、どちらかだ。ここに長くとどまっていたら、ぜったいミスター・ベルにあやしまれてしまう。ほんの一センチほどドアをあけ、それから無事、外にすべりでた。ドアをしめ、カチッと錠がかかる音を聞いてから、角をまがってルーシーに近づき、「ああ、ここか」と、いらついているふりをした。「まったく、どこに行ってたんだよ？」

ふたりは、もう少しだけ展示室に残った。けれどジャックは、ただ見物するだけでなく、もっと収穫《しゅうかく》が欲しいと思っていた。「なあ、ルーシー、ここにいるあいだに、情報を集めないと。夜間の活動についての情報を」

「警備体制のこと？」

「うん。閉館したあとも居残りたければ、できるだけ知っておかないとマズいだろ」

ルーシーは、いいことを思いついた。学校の宿題のふりをして、警備員にひとりずつ、インタビューするのはどう？　ミスター・ベル以外の警備員に？　それならば職業調べの宿題だといえるし、いろいろな質問をする口実にもなる。

ふたりは手荷物あずかり所にもどり、ルーシーのバックパックからノートを一冊取りだして、さっそくインタビューに取りかかり、美術館のあちこちにいる六名の警備員と話をした。ひとりはあまりしゃべってくれなかったが、残り五名は気晴らしに話ができるのを喜んでいるようだ。警備体制に関する質問は、美術品に関する質問にまぎれこませた。各警備員にそれなりに質問すれば、けっこうな量の情報を集められる。インタビューしながらルーシーがメモを取り、一時間ほどで、貴重な情報を細かいところまでかなり得られた。

ふたりはメモをながめながら、大階段のそばのベンチに座《すわ》った。

「うーんと、つまり……美術館は夜も警備員がつめているけれど、人数は昼間より少なくて、一級品のそばにしかいない、ってことね」

「そうだな。監視《かんし》カメラシステムの要点は？　つかめたか？」

「うん。全館に監視カメラが何台も設置してあって、別室で警備員がモニターを監視してる。けれど、一部の場所はセンサーに警備をまかせてる。その装置は、動作を感知すると、自動的に照明が灯《とも》る」ルーシーは、メモを読みあげた。

美術館では閉館後も、特別な資金集めのパーティーや新しい展示品の設置など、いろいろな活動があることもわかった。警備員たちの話によると、こういったイベントは、ときには夜おそくまでつづくらしい。

美術館を出たときも、まだ雪が降っていた。雪の吹《ふ》きだまりを飛びこえながら、家に帰るため、バス停へと向かう。今回はミニチュアルームに入れなかったが、ルーシーは一歩前進したと感じていた。

さあ、次は、計画を立てる番だ。

6
計画

ルーシーはマンションの部屋に入る前に、足をトントンと床《ゆか》に強くたたきつけ、ブーツに最後までこびりついていた雪を落とした。ぼうしとスカーフとコートについていた重い雪がとけはじめていたので、玄関《げんかん》でまとめて脱《ぬ》ぐ。

ドアをあけたとたん、家の中の音がちがうことに、すぐに気づいた。いつもより、少し静かだ。ふだんなら聞こえない音がする。母親が寝室《しんしつ》でしくしくと泣いているのだ。姉のクレアが迎《むか》えに出てきた。

「ママ、なんで泣いてるの？」ルーシーは、ものすごく不安になった。

「大学時代の教授が、きのう亡くなったんだって。ほら、ママがいつも話してる、セントルイス出身の教授。一時間ぐらい前に、電話で連絡《れんらく》があったのよ」

「ふうん……」大変なことが起きたわけじゃないとわかって、ルーシーはほっとした。「残念ね」

残念といったのは、やはり母親が悲しんでいるからだ。母親はその教授とずっと連絡を取りあっていたが、ルーシーは会ったことがない。母親は、教授のことを恩師《おんし》と呼んでいた。

「今日はふたりで夕飯を作るわよ。いい？」今晩のリーダーは、姉のクレアだ。「ママに、うーんとやさしくしようね」

ルーシーは、うなずいた。

両親抜きで姉となにかをすることはめったにないが、いざやってみたら、姉との夕飯作りはけっこう楽しかった。メニューは、かんたんに作れるパスタ。ルーシーがキッチンの丸イスに座《すわ》ってレシピを読みあげ、クレアがそのとおりに調理する。外は猛吹雪《もうふぶき》の悪天候だが、家の中は温かい香りがふんわりとただよっていて、ルーシーは満ちたりた気分を味わっていた。あの鍵《かぎ》を見つけて以来、こんな気分になるのはひさしぶりだ。帰宅した父親に、ルーシーとクレアはこれまでのことを報告した。父親はふたりの額《ひたい》にキスをした。

夕飯の席は、家族四人ともなごやかだと思える雰囲気《ふんいき》だった。それでも、ルーシーは落ちつかなかった。こんな状態の母親は、見たことがない。どんななぐさめの言葉をかけたらいいのかわからない自分が、歯がゆくてたまらない。こういうとき、なんであたしは、お姉ちゃんみたいにふるまえないんだろう？

「ねえ、ママ」クレアが声をかけた。「教授について、いちばん印象に残っていることはなに？」

この質問に、母親の顔がパッと明るくなった。「学生への接し方かしらね。ママはね、教授がいたからこそ、教師になろうって思ったのよ」母親がしばらく教授の思い出話をし、ルーシーはだまって聞いていた。

そのとき——まったく予想していなかった夢のような事実を知らされて、ルーシーは悲しげな母親を前にうかれないよう、自分をおさえるのに苦労《くろう》した。なんと両親が、セントルイスまで教授の葬儀《そうぎ》に出かけるというのだ。しかも、今週末に！　姉のクレアは、土曜の朝に大学進学適性《てきせい》試験があるから行けない。

「ルーシーは？　どうする？」父親がルーシーにたずねた。「いっしょに行くか？　それとも、お姉ちゃんといっしょにいるか？　家をあけるのは、二晩だけだ」

クレアとルーシーは、数カ月前の週末、両親が会議に出かけたときに一度だけ、ふたりだけですごしたことがある。ルーシー家の一大事だったが、ふたりは両親がいなくてもきちんとしていられることを、身をもって証明していた。

「あたしは、ここに残る」ルーシーは、イスに座《すわ》ったまま夕食をすませるのがせいいっぱいだった。

ああ、早くジャックに知らせたい！

ルーシーとジャックは、週末に向けて計画を練った。ルーシーの両親は、金曜の授業が終わった直後にセントルイスに出発し、日曜の夕方までもどらない。毎週金曜、美術館は四時半に閉館するので、学校から家にもどってから行くには、時間がたりない。なにかの事情で両親の出発がおくれたら、すべてが水の泡《あわ》だ。となると、決行は土曜の夜。宿題は、金曜の夜にすべてかたづけておいたほうがいい。そしてルーシーは姉のクレアに、土曜の夜はジャックの家に泊《と》まるといっておく。ジャックも母親リディアに、ルーシーの家に泊まるといっておく。すでにルーシーは両親に、留守中はジャックの母親のリディアがめんどうを見てくれることになった、といってあった。ルーシーもジャックも、両親が土曜の夜について言葉をかわしたりしないよう、あの手この手でがんばった。

ふたりとも、この計画はうまくいくと自信満々だった。理由はふたつある。第一に、今週末、姉のクレアが妹であるルーシーのめんどうをみることはまずない。第二に、ジャックは、母親のリディアが遠出しなければならないとき、ルーシー宅に何度か泊まったことがある。

それでもルーシーは、ジャックの母リディアと自分の両親にウソをつくのが、どうしても後ろめたかった。

「なあ、ルーシー、本当のことをいえるならいうさ。だれだって、おれたちと同じ行動を取ると思うよ」

ジャックのいうことは正しいとわかっていても、やはり後ろめたさをぬぐえない。

当日は四時ごろ、美術館に行く予定だった。そうすれば、例の廊下《ろうか》に忍びこむ余裕は十分ある。そして、閉館する五時までじっとかくれているのだ。バックパックは持ちこめないとわかっていたので、夜、お腹がすいたときのために、ポケットに食べ物をつめこんでいくことにした。

ルーシーには、ひとつ気になっていることがあった。携帯《けいたい》は、ミニサイズになっても使えるかしら？

ジャックは廊下で眠ることになるので、服を何枚かよけいに重ね着していくつもりだった。トレーナーを丸めて枕《まくら》にし、コートを毛布がわりにすればいい。ジャックは、どこでも寝《ね》られるタイプだ。

木曜には、ルーシーは待ちきれなくなっていた。放課後はジャックの家で、算数の宿題をいっしょにすることにした。ジャックの母リディアが、ナッツ入りのチョコレートケーキを焼いてくれた。チョコケーキを食べると、宿題がはかどるのだそうだ。

ふたりは、ジャックの部屋の床《ゆか》に座《すわ》っていた。ルーシーは文章問題が苦手《にがて》だが、等式や計算はかなり得意だ。ジャックは文章題が苦《く》にならない。ふたりでやれば、宿題は早く終えられる。

ふたりとも完成した宿題をノートにはさみ、バックパックにつっこんで、学校のことは忘《わす》れることにした。ルーシーは、ソーン・ミニチュアルームのカタログを取りだした。今週ずっと、バックパックに入れて持ち歩いていたのだ。どの部屋で一晩休むか、まだ決めかねている。

「うーん……ベッドにかたっぱしから寝たあと、決めようかなあ」と内心の思いを口にし――

ふと、この一週間、ずっと気になっていたが、切りだせないでいたことを思いだした。

「ねえ、ジャック、もう効かない……なんてことはない？」

「ん？　なに？　鍵《かぎ》のこと？」

「うん。一回かぎりの魔法《まほう》だとしたら？」

「考えもしなかったなあ。ま、土曜になればわかるさ」

「いま、ためしてみない？　ちょっとだけ？」

「母さんに見られるかも……危険すぎるな」ジャックが、この件は終わり、と打ちきるようにいう。

「そんなことない。それに、ジャックひとりで決めることじゃないでしょ」ルーシーは、少しむっとしていた。

「はいはい、わかった。わかりましたよ」ジャックはしぶしぶそういうと、ソファーの下に手をのばし、飾《かざ》り気のない靴箱《くつばこ》を引きよせた。箱には、がらくたがつめてあった。何本もの靴ひも、しゃれたマーカーとペン、ホイッスルがひとつに、電池が複数。ジャックはあえて、特別な鍵《かぎ》をほかの鍵のコレクションとは別に保管していた。ぜったいだれものぞかないような場所に、かくしておきたかったのだ。そしてがらくたをかきわけて、例の鍵を見つけた。箱の中のがらくたにくらべたら、鍵はやはり特別に見える。でも、最後に見たときは、もっと輝《かがや》いていたような——。ルーシーはなんとなく、そんな気がしていた。

「ちょっと待って」と、ジャックがロフト側の窓に歩みよった。リディアの姿は見えない。「うん、オッケーだ。ただし一、二秒で、すぐに手放すんだぞ。いいな?」鍵をにぎりしめ、ルーシーのほうへさしだす。

「うん、約束する」ルーシーは、大まじめにいった。

床《ゆか》に座《すわ》ったまま、ためすことにした。そうすれば、もしリディアが角をまがってあらわれても、見られることはない。ジャックがこぶしをひらき、ルーシーの手のひらに鍵を落とした。すぐさま、前回と同じように、ルーシーの指先に熱がじんわりと広がった。ルーシーだけが感じるそよ風が、髪《かみ》をゆらす。金属がきしむようなふしぎな音を、ルーシーもジャックも耳にした。

ところが――変化がとまった。服のサイズが変わらない。自分が多少なりともちぢんだ感覚がない。髪のゆれがおさまり、鍵は冷たくなっている。

ルーシーはジャックと顔を見あわせた。いままでの人生で、これほどがっかりしたことはない。

「ダメだわ……」そういうのが、せいいっぱいだった。こんなもの、もう二度と見たくない、とばかりに、ジャックに鍵をわたす。

「なにか感じたか？」

「うん、まあ。前みたいに、鍵が手の中で温かくなって、そよ風を感じた。けれど、それだけ。そこで、終わっちゃった！」

「もう一度、やってみろよ。もっと集中しろってことかもしれない」と、ジャックがルーシーに鍵をわたす。

けれど、やはり同じだった。懐中電灯《かいちゅうでんとう》の電池が切れかかっていて、電球がじょじょに消えていくときのように、魔法《まほう》の力が半分になったみたいだ。

と、そのとき、ドアのブザーが鳴った。だれかがエレベーターであがってくる。ジャックは鍵をつかみ、箱の中につっこんで、箱ごとソファーの下に押《お》しこんだ。少しして、ドアをノックする音がした。母親のリディアが玄関《げんかん》ドアに向かい、のぞき穴をのぞき、ため息をついてドアをあける。

「やあ、リディア。お邪魔《じゃま》して、すまないね」

「こんにちは、フランク。そろそろ、いらっしゃるころだろうと思ってたわ」

フランク・マーフィーはジャック宅の家主だ。ジャックが立ちあがり、自分の部屋のドアのそばに立つ。

「目下《もっか》きみがかかえている問題について、早く手を打たないといけないね」

「ええ、フランク、わかってるわ。あと一カ月だけ、待ってくださらない？　もうすぐ展覧会なの。そうしたら、きっとお支払《しはら》いできるから。もうすぐ仕上がりそうな絵も何点かあるし」

フランクもかつては画家をめざしていたが挫折《ざせつ》し、だいぶ前にこの建物を買いとって、各フロアを芸術家に貸しだしている。ふだんは、すごくやさしい人だ。

「あと一カ月なら待てるが、それ以上は……。フェアにいきたいんでいっておくが、じつはきみの家賃の三倍を払うから貸してくれ、といっている人がいるんだ。こっちも経費のことを考えなくちゃならないし。いや、その、いろいろあるんで」

少し後ろめたく思っているような口調だな、とルーシーは感じた。

フランクがいなくなったあと、リディアはまたため息をつき、ジャックを見た。「心配しないで、ジャック、ね？　なんとかなるわよ」

リディアの目はちがうことをいってるな――。ロフトが静まりかえった数分間が、やけに長く感じられる。ルーシーは、なんていったらいいのか、わからなかった。なにかいってもいいかどうかも、わからない。この十分間で、ルーシーの世界はひっくりかえってしまった。鍵《かぎ》の魔法《まほう》は期待どおりに効かないし、ジャックの状況《じょうきょう》は悪くなった。

そのとき、またブザーが鳴り、気まずい沈黙《ちんもく》がやぶられた。

「パパだわ」ルーシーが、なるべくいつも通りの声でいった。「帰り支度《じたく》をしなくちゃ」

「ジャック、寒い外でお待たせするのもなんだから、ここにお連れして」と、リディア。

ルーシーが教科書とファイルをかき集め、バックパックにつっこみ、ちょうど支度ができたころ、ジャックが父親を連れてきた。そして、こんにちは、お元気ですか、といったあいさつが交わされたそのあと、計画そのものをゆるがしかねない、新たなる災難がふりかかってきた！

「ヘレンの教授のこと、聞いたわ」と、リディア。「ヘレンにお悔《く》やみをお伝えしてね」

「ありがとう、リディア。いろいろとめんどうをかけることになって、すまないね」ルーシーの父親が応じる。

うわっ、パパったら、いまここで、今週末の具体的な話をするつもり⁉

「ジャ、ジャック！」ルーシーはジャックがすぐとなりにいるのに、叫《さけ》ぶようにしていった。

大人ふたりが、驚《おどろ》いてルーシーを見る。「算数の宿題、全部やったっけ？　明日までだよね？」

ルーシーは、完全にあわてふためいていた。「パパ、早く帰らなくちゃ！　今日は、一時間かかる読書の宿題もあるの。ああっ、もう、どうしよう！」

「そうそう！」ジャックも調子をあわせた。「ビドル先生の今日の宿題は、マジでヤバいよ！」

「もう、ホントよね！　行こう、パパ」

ルーシーは父親を、その階にまだ止まっていたエレベーターのほうへ引っぱっていった。

ジャックがエレベーターに飛びのり、ドアをすばやくしめる。

ルーシーは一階におりるエレベーターの中で、ジャックの気持ちをおしはかりながら、ジャックを見つめた。今日のリディアははるかに深刻《しんこく》な悩みがあるので、ルーシーの父親のさっきの発言について深く考えることはまずないだろう。それにしても、危なかった。

ルーシーは、落ちこんでいた。さっきの〝パニック〟は、無理しなくてもすぐに演じられた。もちろん、宿題とはなんの関係もない。鍵《かぎ》の魔法《まほう》が効かなくなったし、ジャックが引っ越しを迫《せま》られるかもしれないし、ストレスがたまって気持ちの整理がつかない。

父親といっしょに家まで歩いていると、少し気持ちが落ちつく。ルーシーは、父親の手をにぎった。父親が、ぎゅっとにぎりかえしてくる。「うん？　なにかあったのか？」

もちろん、すべてを告白するわけにはいかない。どうしてもやってみたいことが、もしかしたら夢で終わっちゃうかもしれないの、とは話せない。それでも、魔法の鍵や、いまの自分のがっかりした気持ちを、打ちあけたくてたまらない。ひょっとして、すべて妄想《もうそう》だったとか？

だんだん、そんな気がしてきた。もしジャックが目撃《もくげき》していなかったら、自分の頭がおかしくなったと思うだろう。けれど、家主のフランクや、フランクとリディアの会話や、ジャックとリディアが心配でならないという気持ちは、伝えられる――。

「なるほど。だからリディアは、さっき、心ここにあらずだったんだな。心配ごとがあるのは、感じていたよ」ルーシーの話を最後まで聞いて、父親がいった。

「ジャックがどこかに引っ越さなきゃいけないなんて、そんなの、ひどいよ。どこに行っちゃうの？」ルーシーはそういってから、つけくわえた。「パパ、あたしたち、力になってあげられない？」

「あのロフトを立ち退《の》かざるをえなくなったら、残念だ。といっても、相談されもしないうちに助けるのは、むずかしいな。リディアから、まだ話も聞いていないからね」父親はだまって数歩進んでから、つづけた。

「だが、力になってあげられることがあるかもしれない。うん、考えてみよう」

うん、考えてみよう、というのは、父親の口ぐせだ。

その口ぐせを聞くと、ルーシーはいつもほっとするのだった。

7
ミセス・マクビティー

待ちに待った土曜日——。ルーシーは姉クレアとともに早起きし、姉といっしょに朝食を食べ、テストがんばってね、と声をかけた。両親が電話してきて、娘《むすめ》ふたりが無事か、クレアがちゃんと起きて準備しているかたしかめ、はげましの言葉をかけた。クレアは不機嫌《ふきげん》で、成績は優秀《ゆうしゅう》なのに、少し緊張《きんちょう》していた。

ルーシーはふたり分の皿をかたづけながら、午後にジャックが迎《むか》えにきて、今日はジャック宅に泊《と》まることを、クレアに念押《お》しした。「お姉ちゃんが帰ってくるころには、たぶんいないと思うんだ。用があったら、あたしのケータイに電話して、ね？　ジャックのママは最近電話をよく使ってるから、ジャックの家に電話しても、たぶん通じないよ」落ちついて、きちんとしているように聞こえますように——。内心は、まさにその正反対だった。

「うん、わかった。まあ、今晩、用があって電話するなんて、考えられないけど。今晩は映画を観まくって、だらだらしようっと。テストなんか、忘《わす》れてやる！」クレアはコートのファスナーをしめながらそういうと、玄関《げんかん》に向かった。「じゃあ、ルーシー、また明日ね」

「うん。お姉ちゃん、がんばって！」

「ありがとう」クレアがドアをしめて、出ていった。

さて、午前中はなにをしよう？　今週は時間がたつのがおそいと思っていたが、今日はまさに地獄《じごく》だ。持ち物リストに目を通し、何度も点検し、だぶだぶのスウェットパーカーとコートのポケットに荷物をすべてつっこみ、リストに漏《も》れがないかどうか確認した。家の鍵《かぎ》と、携帯《けいたい》と、バスの乗車券と、数枚の五ドル紙幣《しへい》は、表のファスナーつきのポケットのひとつに入れた。持っていくお菓子《かし》のことはジャックと少しだけ相談し、携帯食品のトレイル・ミックスと、クラッカーと、ポテトチップスと決めていた。飲み物は？　一本か二本、持っていく？　美術館に飲み物を持ちこんだとばれたらどうなるか不安だったが、これだけスナック菓子を食べたら、のどがかわくかもしれない。結局、一本のジュースをふたりで飲もうと決めた。

コートのポケットに食べ物と飲み物をつめこんだ状態で、ヘンだと疑われないか、自分の姿を何度か鏡に映してみた。うん、だいじょうぶ。だれにもばれない。

コンピュータの前で少し時間をつぶし、朝食の皿を食洗機に入れ、ベッドをととのえた。それでも、まだ午前のなかばだ。ソーン・ミニチュアルームのカタログを持ってソファーに座《すわ》り、一時間ほど、静かな一晩のすごし方を決めようとした。

待ち時間でなによりつらいのは、鍵の魔法《まほう》はもう効かないのかも、と不安でならないことだ。もしそうだとしたら、ミニチュアルームから漏れてくる別世界のような光を浴びながら、暗い廊下《ろうか》で一晩をすごさなければならない。さぞ、気がめいるだろう。不吉な考えを頭からしめだし、自分を待ちうけているドキドキ、ワクワクの大冒険《だいぼうけん》に意識を集中しようとした。

胃をキリキリさせながら座っていたら呼び鈴《りん》が鳴り、ルーシーは心臓が飛びでるほど驚《おどろ》いた。ソファーからすばやく立ちあがり、ドアまで走っていって、インターホンを押《お》す。

スピーカーから聞こえてきたのは、年配の女性の声だった。父親と仲の良い古美術商のミセス・ミネルバ・マクビティーだ。ルーシーはオートロックを解除し、玄関でミセス・マクビティーを待った。

「はいはい、こんにちは。おや、今日はひとりかい？」ミセス・マクビティーは、百歳《さい》くらいに見える。年を取ってすっかりちぢまり、背丈《せたけ》はルーシーとほとんど変わらない。ミセス・マクビティーは部屋にあがりながらぼうしを脱《ぬ》ぎ、みごとな白髪《しらが》をあらわにした。骨董店《こっとうてん》のオーナーで、専門は古書と稀覯本《きこうぼん》だ。ルーシーの記憶《きおく》にあるかぎり、ルーシーの父親のためにおもしろい本をさがしだし、たまに特別な本を持ってやってきては、父親とふたりで、クリスマスの子どものように、目を輝《かがや》かせて見入っている。

「はい、少しのあいだだけなんですけど。パパとママは週末にセントルイスに出かけていて、クレアは今日は大学進学適性《てきせい》試験です」

「おや、筆記試験かい！　わたしが子どものころは、口頭で知識をたしかめあったものだけどねえ」ミセス・マクビティーは、よく子どものころの話をする。お年寄りはみんな、そういうものなのかも、とルーシーは思っていた。「お昼は食べたのかい？　スープを作ってあげようねえ」ミセス・マクビティーはルーシーの返事を待たずに、自分のコートをイスにかけ、キッチンに入っていった。ルーシーの祖母のようにふるまうことが、たまにあるのだ。

「あの、パパとママに、あたしのようすを見るように頼《たの》まれたんですか？」ルーシーは、計画が台無しになってしまわないかと不安だった。

「いやいや。てっきりお父さんがいらっしゃると思って、本を持ってきたんだよ」と、ミセス・マクビティーが自分のコートを指さす。「ポケットに入ってるよ」スープ缶《かん》をあけて、ちょうどいい鍋《なべ》を見つけるのにいそがしい。

ルーシーはコートを持ちあげ、ポケットの中に革表紙の小さな本を一冊見つけた。

「百年以上前の本でねえ」ミセス・マクビティーが、キッチンからいった。「掘《ほ》りだしものだよ。フランス語の本でねえ。お父さんには、わたしが読んであげよう」ミセス・マクビティーは、フランス語のほかに五カ国語を話せる。

「どこで手に入れたんですか？」

「遺品《いひん》の売り立てで。ほかにも本を数冊と骨董品《こっとうひん》を買ったよ。銀食器と、古い油絵を数点。うちの店に、ぜひ見にきておくれ。ルーシーなら大歓迎《だいかんげい》だよ」

ルーシーはこの数カ月、ミセス・マクビティーの骨董店に行っていなかったが、父親といっしょにたずねたときは、いつも楽しませてもらっていた。ミセス・マクビティーは、店内の宝物にさわらせてくれる。ルーシーがなにもこわさないと、わかっているのだ。

「はい、お食べ」ミセス・マクビティーが、ルーシーの前に、湯気をたてているスープ皿を置いた。

「いっしょに食べないんですか？」

「わたしは、朝昼兼用《けんよう》で食べてきたばかりでねえ。このあとは、どうするつもりかい？」

今日の計画を話題にするのは、危険かも。なるべくいわないほうがいい。「ええっと、あの、もうちょっとしたら、友だちの家に行くんです。美術館に行こうかなって……。そのあと、その友だちの家に泊《と》まるんです」

ミセス・マクビティーが、ソファーの上のカタログをちらっと見た。「おや、見かけない本だねえ」ルーシー宅にあるすべての本のリストを暗記しているらしい。

「友だちから借りたんです」ルーシーは、スープをすくって飲む合間にいった。「先週、学校の社会科見学で、ソーン・ミニチュアルームを見たんです。あたし、大好《だいす》きになっちゃって!」

「ほーう」ミセス・マクビティーは、カタログをぱらぱらとめくった。「どの部屋も本物そっくりだ。ねえ? あのミニチュアルームを初めて見たときのことは、いまだにおぼえてるよ。あれは、一九三二年だった。シカゴ美術館におさめられる前は、シカゴ歴史協会で展示されていてねえ。当時のわたしは、わずか八歳《さい》だった……」ミセス・マクビティーはじっくりと、食い入るような目つきで、数ページを見つめ、「あれは、魔法《まほう》だね」とルーシーを見た。

ルーシーは内心ギクッとし、驚《おどろ》きをかくしつつ、「えっと、あの、どういう意味ですか?」と、恐《おそ》る恐《おそ》るたずねた。ひょっとしてミセス・マクビティーは、あのミニチュアルームと鍵《かぎ》について、なにか知ってる?

「あれを見た人はだれもが、ほんの一瞬《いっしゅん》でも、ミニチュアルームの夢の世界を信じるってことだよ。そうは思わないかい?」

「ああ、なるほど」ルーシーは、がっかりした。「たしかに、そうですよね」

ミセス・マクビティーの話を聞いていると、鍵とともに起きたことがすべて空想だったような気がしてくる。ルーシーは、スープに意識を集中した。

ミセス・マクビティーはルーシーががっかりしたことを感じとったらしく、少し間《ま》をおいてから、つけくわえた。「夢の世界とは、ちょっとちがうかもしれないねえ。めずらしい古書にめぐりあったときの感覚と同じだよ。その本を書いた人や所有していた人たちと、いま、言葉をかわしていると、本気で信じられるんだ。それは魔法でもあり、現実でもある。少なくとも、わたしにとってはね。もちろん、そういった感覚を素直に受け入れないと、魔法は効かないよ。だれもが受け入れられるわけじゃないからねえ」ミセス・マクビティーはカタログを置き、ぼうしとコートを取りにいった。「そろそろ、失礼するとしよう」苦労《くろう》しながらコートに腕《うで》を通し、ぼうしをかぶる。「持ってきた本は、お父さんのために置いていくよ。来週連絡《れんらく》するって、いっといておくれ」

「はい、ミセス・マクビティー。スープ、ありがとうございました」

「おやおや、水くさいねえ。うちの店に遊びにおいで。玄関《げんかん》に、かならず鍵をかけておくんだよ」

「はーい」

またひとりになったルーシーは、ミセス・マクビティーの話について考えた。魔法、感覚、そして信じること――。一週間前のルーシーならば、その三つの言葉を大切だとは感じなかっただろう。けれどいまは、どういう意味だろうと、つきつめて考えずにはいられない。ひょっとして、ジャックの家でミニサイズになれなかったのは、本気で信じていなかったから？

計画どおり、ジャックが午後二時前に、ルーシーを迎《むか》えにきた。姉のクレアが帰ってくる前に出かけたかったので、ふたりはそそくさと家を後にした。美術館に予定より早く到着《とうちゃく》したので、ギフトショップで時間をつぶすことにし、午後四時十五分くらいに地下へおりていった。それだけ余裕を見ておけば、トイレに寄れる。今日は長い夜になるだろうし、たぶん、トイレに行くチャンスはない。そのあと裏《うら》の廊下《ろうか》にしのびこみ、美術館が五時に閉館するまで待つとしても、時間はじゅうぶんある。

ソーン・ミニチュアルームの展示室は、かなり混んでいた。ルーシーもジャックもさりげなく角をまがって、壁《かべ》のくぼみに近づいた。くぼみの前には、警備員が立っていた。しかもひとりではなくふたりで、しゃべっている。ルーシーとジャックはその警備員たちのすぐ前を通りすぎ、別の角をまがった。

「マズいな。ふたりいる」と、ジャック。「五分待って、また通ってみよう」

おたがい、腕《うで》時計で時間をはかった。一言もしゃべらない。ちょうど五分たったところで、またくぼみの前を通過した。状況《じょうきょう》は変わらない。

「ちょっとジャック、どうするのよ？　客が外に出される時間になっても、まだ警備員たちがあそこにいたら？」

　ルーシーは、落ちつかなくなってきた。計画を実現できる週末がふたたびめぐってくるまで、どのくらい待たされるかわからないのに、待たなければならないとしたら、どうする？　魔法《まほう》の鍵《かぎ》をまたためすために一時間以上待たされるのさえ、耐《た》えられないのに？

「もうすぐ四時半よ！」

「なにか手を考えよう。おれだって、このチャンスをふいにしたくない！　とにかく、動いていたほうがいい」

　もうすぐ閉館時間ですという、警備員の一回目の案内が聞こえた。ルーシーが、不安そうにジャックを見る。壁のくぼみの前を、四回通過した。四回とも、ふたりの警備員が、話に夢中になっていた。スポーツの話をしているらしい。スポーツの話は何時間でもつづきかねないのを、ルーシーは知っていた。

　客がじょじょに減っていく。閉館時刻まで十分もない。

と、ラッキーなハプニングが起きた。もうすぐ閉館です、と警備員が二回目に案内したそのとき、ベビーカーを押《お》していたひとりの母親が、ミニチュアルームの展示室のちょうど入り口で立ちどまった。かわいそうに、ベビーカーの中の子どもが、すさまじい鼻血を出している。出しているというより、噴《ふ》きだしているに近い。母親は、ティッシュを使いはたしていた。

ふたりの警備員はおしゃべりをやめ、母親を助けにかけつけた。鼻血がカーペットに垂《た》れたので、すぐにふきとらなければならない。片方の警備員がトイレットペーパーを取りにトイレへ走っていき、もう片方の警備員がミニチュアルームの裏《うら》の廊下《ろうか》に入り、掃除《そうじ》用具を持って出た――ドアをあけっぱなしにして。

やった、完ぺきだ！

ルーシーは、すばやくあたりをうかがった。客の大半は、すでに展示室を出ている。片方の警備員が四つんばいになってカーペットを軽くたたいているすきに、ジャックの袖《そで》をつかみ、一秒もたたないうちに、ふたりでドアをくぐりぬけていた。ほうきと箱の山の脇《わき》を通りぬけ、廊下《ろうか》の端《はし》まで一気に走る。

暗闇《くらやみ》にしずんだ廊下の隅《すみ》で、先にルーシーが床《ゆか》にくずれるように座《すわ》りこんだ。おたがい、顔を見あわせた。ルーシーの心臓はドキドキしていた。ジャックがにやりとする。

しばらくだまって、そこに座っていた。警備員が、廊下の入り口に用具をもどす音がした。つづいて、ドアがしまる音。展示室から聞こえてくる複数のくぐもった声が、だんだん消えていく――。

こんな静けさは生まれて初めてだ、とルーシーは思った。ミニチュアルームを照らす電球の音まで聞こえる。こんなに興奮《こうふん》し、これからのことに神経を集中していなかったら、ふるえあがっただろう。

ようやくジャックが思いきって体を動かし、腕時計《うでどけい》を見た。「六時だ。さすがに、だれもいないな。動こう」すっかり、リーダー気取りだ。「鍵《かぎ》をためしてみないとな」

ルーシーは立ちあがった。まずは、のびをする。これほど長時間じっと座っているのに慣れていない。コートを脱《ぬ》ぎ、持ってきたお菓子《かし》をポケットから全部出した。ジャックも、自分のお菓子を出した。いつものお気に入り、ピーナッツ入りの粒《つぶ》チョコにくわえ、ピクルスの入ったジッパーつきの袋と、ハムサンドイッチがひときれ入ったジッパーつきの袋もある。

つづいて、ジャックが例の鍵を取りだした。「いいか？」光を放っている鍵を、ルーシーの目の前にかかげながら、たずねる。

ルーシーは、ぎゅっと目をとじた。「うん」どうか、お願いだから、魔法《まほう》が効きますように――。

ジャックが鍵《かぎ》をわたした。目を見ひらいて、ながめている。

ルーシーはすぐさま、鍵をにぎった手がじんわりと温かくなるのを感じた。自分だけに吹《ふ》くそよ風に、髪《かみ》がなびく。そしてあっというまに、十三センチのミニサイズになっていた。「やった！」ルーシーが、ミニサイズの声をはりあげた。こんなにほっとしたのは、生まれて初めてだ。

「よーし。じゃあ、次はもとにもどれるかの確認だ。鍵を放せ」

ルーシーは、新しい技術を学んでいるかのように、ジャックの指示にしたがった。なんの問題もなく、あっというまにもとの大きさにもどった。

「うまくいくと思ってたぜ！　やっぱりな！　気分はどうだ？　だいじょうぶか？」

「うん、平気、だいじょうぶ。前回と同じよ。さあ、本番ね！」ルーシーは、少し間《ま》をおいてつづけた。「ねえ、ジャック、ここでひとりきりで、だいじょうぶ？」

「もちろん。ゲームボーイを持ってきた」と、ジャックがポケットを軽くたたく。「コートにマンガも数冊入れてあるし。おれに報告だけはしてくれよ、な？」

ジャックは、とことん良くしてくれてるのね――。もし立場が逆だとしたら、ルーシーはジャックのことをうらやんだだろう。でもジャックからは、そういった気持ちは伝わってこない。ルーシーがちぢむことに不安を感じなくなったジャックは、サイコーのパートナーだった。

「うん、わかった、約束する」

ルーシーは、E24のミニチュアルームを最初にたずねるつもりだった。〈一七八〇年のフランスの部屋〉だ。そこで、その部屋までジャックに運んでもらい、裏側《うらがわ》の下枠《したわく》におろしてもらった。ここを選んだのは、バルコニーのあるリビングだからだ。ルーシーは、昔からずっと、バルコニーにあこがれていた。映画に出てくるお金持ちは、みんなバルコニーを持っているような気がする。E24は、美しい公園のような場所に面していた。それと、小さなひきだしがいくつもあるライティングデスクが一台。ひきだしの中になにかあるのか、のぞいてみたい。

「はい、どうぞ。なにを見つけたか、教えてくれよな！」

「ありがと、ジャック」

E24の背景画が描《えが》かれた箱の裏側は、完全にふさがっていた。けれど側面にすきまがあり、ルーシーはそこからミニチュアルームのドアへと入りこんだ。ドアはしまっていたが、鍵はかかっていない。ノブをまわしたとたん、ちょうつがいの硬《かた》さが伝わってきた。何年もあけられたことがないのだろう。

凝《こ》った装飾《そうしょく》のステキな部屋だ。壁紙《かべがみ》はあわい緑色で、あちこちに金色の線が走っている。真向かいには、大理石の暖炉《だんろ》。炉棚《ろだな》の上には、大きな鏡。天井《てんじょう》は高く、ガラス窓が床《ゆか》からまっすぐ天井《てんじょう》までのびている。カタログにフレンチドアと書いてあるこのガラス窓は、両開きの戸になっていて、すぐ外のバルコニーに出られる。ルーシーは室内の美しい家具をすばやく見わたしながら、凝《こ》った針編みの刺繍《ししゅう》がほどこされたラグに乗り、ミセス・マクビティーのことを思った。ミセス・マクビティーなら、こういった古い家具に大喜びするだろうな。

少しのあいだ、じっとしていた。ミニチュアルームの照明は夜間もつけっぱなしだが、館内の照明は消してあり、正面ガラスの向こうは、赤い非常灯がいくつか、ぼうっと光っているだけだ。展示室にだれもいないので、しんと静まりかえっている。

ルーシーが調べたいと思っていたつくえは、右側にあった。そのつくえの前の、白と金のカバーがかかったイスに座《すわ》り、深呼吸した。ジーンズとスニーカーとフードつきのスウェットパーカーというかっこうでなかったら、十八世紀の少女になりきっていただろう。バルコニーに向かってあいているガラス戸から、そよ風が吹《ふ》いてくるような気までしてくる。

つくえのひきだしをあけようとして、ルーシーはハッとした。

鳥たちのさえずりが聞こえる。

つづいて、別のことにも気づいた。なんと、バルコニーの向こうの木々の葉が、そよ風に吹かれて、カサカサと音を立てている――。

8

ジャックの思いつき

ルーシーはイスから飛びあがり、ガラス戸にかけよって、バルコニーに出た。目の前に広がっているのは、本物の世界だ！　ニセモノの木々や、特殊《とくしゅ》な電球に照らされた背景画じゃない！　公園？　それとも、個人宅の広大な庭園？　本物の鳥たちがさえずり、本物のリスたちが走りまわり、本物の雲が空に浮《う》いている！

ルーシーはわくわくすると同時に、こわくなった。あたし、どこに入りこんじゃったんだろう？　だれかに見られたら、どうする？　とにかく、だれにも見られないよう、E24の部屋にもどろう。

予想外のとんでもない事態にあわてふためき、いったんカーテンの裏《うら》にかくれてから、またガラス戸のほうへ歩みよった。でも、バルコニーには出ない。深呼吸をしてみた。まちがいない。本物の新鮮《しんせん》な空気だ！

向きを変えて、走った。とにかく、ジャックにいわなくちゃ！「ジャック！　ジャック！」

E24の部屋を飛びだしながら、呼びかけた。

ジャックが、ルーシーの姿よりも先に声に気づいて、ハッとする。

「あのね、本物なの！　ホントに、本物なの！」ルーシーは、意味不明な言葉を口走っていた。

「えっ？　どういうこと？」

「ミニチュアルームの外の背景画は、絵じゃないの！　本物なの！　木も、鳥も、雲も、新鮮《しんせん》な空気も、本物よ！　ちゃんとした世界なの！」ルーシーは、息をきらしながらまくしたてた。

「ウソだろ」ジャックが、信じられない、という顔でいう。

「ううん、ホントなんだってば」ルーシーは、説明しようとした。「あたし、十八世紀のフランスに入れたんだもん！　ウソじゃないって！」

「スゲー」ジャックは、それしかいえなかった。少し考えて、また「スゲー」とくりかえす。

ルーシーは全身に鳥肌《とりはだ》を立たせながら、下枠《したわく》を行ったり来たりした。魔法《まほう》でちぢんだのも驚《おどろ》いたが、この予想外の展開の衝撃《しょうげき》にはとてもおよばない。まさに、度肝《どぎも》を抜かれていた。「ああ、もう、ジャックもいっしょに来られればいいのに！　ひとりじゃこわくて、遠くまで行けないわよ」

「そうだよな、なにが起こるか、わからないし。一七八〇年のフランスでは、人の首をちょん切ってたんだぜ」

「ちょっと、ジャック！」

「ホントだって。ギロチンって、聞いたことないか？」ジャックは、片手で自分の首をかっ切るしぐさをした。「国王をたおそうと思った民衆が、フランス革命で使ったんだ。Ｅ24は、その時代の部屋なんだぞ」

ジャックと同じぐらい、歴史の授業をちゃんと聞いておけばよかった――。「とにかく、これだけはたしかよね……こんなかっこうじゃ、あの世界に出られない！　あたし、部屋の中をよく見てくる。どうするかは、そのあといっしょに考えようよ。どの部屋も、外に本物の世界が広がってるのかな？」

「わかった。でも、よーく気をつけるんだぞ。無事かどうか、ちゃんと知らせろよ。フランス革命の時代の人間は、マジで殺気立ってるからな！」

ジャックは、本気で心配してる？　それとも、あたしをおどしてるだけ？　たぶん、両方ね――。

それでも、ジャックの一言で気が引きしまったのは、まちがいない。

さっきよりも用心しながらＥ24の部屋にもどり、つくえに向かって座《すわ》った。目の前に、鍵《かぎ》のかかる大きな革表紙の本が一冊ある。日記帳だろうか。表紙の模様《もよう》は壁紙《かべがみ》の模様とよく似ていて、金のうず巻きと花が散りばめられている。つくえは革張りの書きもの用の板と、ひきだしや小さな物入れがいくつもある。

ひきだしをひとつ、あけてみた。意外にも、なめらかにあいた。ひきだしの中には、羽ペンが二本と、いまも使えそうな黒いインク入りの繊細《せんさい》なガラスの壺《つぼ》がひとつ、入っていた。

別のひきだしをあけてみた。紙がしまってあったが、現代の紙とは感触《かんしょく》がかなりちがう。分厚くて、それほど白くない。その紙をひきだしにしまったひょうしに、さっきは見えなかった別のものに手が触《ふ》れた。これは、なに？　一本のエンピツ？　たしかに、ひきだしの中にあるのは、ルーシーが毎日使っているような、黄色に塗《ぬ》られたＨＢのエンピツだった。ルーシーは、それを手に取った。現代のものが、このひきだしの中に入ってるなんて、ありえないわよね？

しげしげとながめるうち、消しゴムが減っているし、芯《しん》も丸いので、使われたエンピツだとわかった。ソーン夫人のやとった職人がほかの部屋のために作ったのに、うっかりこのひきだしに置きわすれてしまったとか？　いったい、だれが使ったんだろう？　気になるが、つくえの中をもっと見てみたいので、あとでジャックにかならずいおうと自分にいいきかせながら、エンピツをもとのひきだしにもどし、ほかのひきだしをのぞくことにした。

次のひきだしには、すでに開封された手紙が数通、入っていた。なになに、なんて書いてあるの？　一通を封筒《ふうとう》から取りだした。うわっ！　やっぱ、フランス語か！　筆跡《ひっせき》はじつに優雅《ゆうが》だ。手紙をそうっと封筒にもどした。

別のひきだしには、金のペーパーナイフが一本、入っていた。父親のつくえの上にも同じものがある。手紙を開封するときに使うものなのは、知っていた。父親のペーパーナイフはミセス・マクビティーの店で買ったアンティークだが、これよりもっとシンプルだ。

最後にあけたひきだしには、鍵《かぎ》が二本入っていた。ここに鍵って、どういうこと？　そうか、なんの鍵か、つきとめろってことね！　鍵を二本ともつかんで、ためしてみた。一本は、つくえのひきだしの錠《じょう》にぴったりはまった。小ぶりのもう一本は、目の前にある日記の錠にちょうどよさそうだ。日記の錠に鍵をさしこみ、右にまわしたところ、カチッと小さな音がして、錠が勢いよくはずれた。このうえなく美しい文字で書かれた、日記らしきものの革表紙を、めくってみた。けれど、またしても、フランス語のオンパレードだ。かなりのページ数がある。なんて書いてあるのか、だれが書いたのか、知りたくてたまらない。ぱらぱらとめくるうち、最後まで書かれていないことに気づいた。最後の十ページほどは、白紙だ。なぜ？

「おーい、ルーシー！　来てくれ！」廊下《ろうか》から、ジャックの声が聞こえてきた。

ルーシーはそっと日記をとじて、鍵《かぎ》をかけ、その鍵をひきだしにしまい、「なあに？」と、E24を出た。

「いいこと、思いついたんだ」ジャックは興奮《こうふん》していた。「ルーシーが鍵をにぎると、ルーシーには魔法《まほう》が効くけど、おれには効かないよな？」

「うん」

「ルーシーの体に触《ふ》れているものは、服でもなんでも、いっしょにちぢむだろ。じゃあ、ルーシーがちぢむとき、おれがルーシーに触れていたら、どうなる？　まだ、ためしてないよな」

ルーシーは、迷わなかった。「やってみようよ、すぐに！　床《ゆか》におろして！」ジャックに床におろしてもらい、ポケットから鍵を取りだし、いつものように放りなげた。一連の動作が、いまではすっかり身についている。そしてまた、ジャックと同じ目の高さまでもどった。「うまくいくといいね、ホントに。ジャックといっしょに入れたほうが、ぜったいおもしろいもん！」

「だよな！　おれ、城の部屋の鎧《よろい》を着てみたいんだ！　よし、やってみるか」

「オッケー！」

ルーシーはジャックの手をつかみ、かがんで鍵をひろった。ものの一秒もたたないうちにそよ風が吹《ふ》きはじめ、ジャックはルーシーのいつもの感覚をくまなく体験した。ちぢんだ体に服がフィットするのを実感し、どんどん拡大する廊下《ろうか》に目をまわす。ジャックが一瞬《いっしゅん》バランスを失いそうになりながら、信じられないという顔であたりを見まわすのを、ルーシーは見まもった。

「う、うわっ、マジでスゲー！　ウソだろ！　手を放したらどうなるか、やってみようぜ」ルーシーがジャックの手を放し、ふたりともじっとしていた。なにも起きない。ジャックはミニサイズのままだ！「ううっ！　スゲー！」ミニサイズの目で見た空間に慣れようと、きょろきょろしながら、ジャックが叫《さけ》んだ。ルーシーにはすでにあたりまえになった感覚を――すさまじい興奮と、吐《は》いてしまいそうなめまいの両方を――いっぺんに味わっている。

「あっ、しまった！」と、ルーシー。

ジャックが、きょとんとしてルーシーを見た。「えっ、なに？」

「だって」と、ルーシーが床を指さす。「あたしたちは、ここよね。でも、ミニチュアルームはあっちよ」

ジャックは、はるか頭上を指すルーシーの指先を目で追った。ミニチュアルームどうしをつなげている下枠《したわく》まで、五階建てのビルくらいの高さがある。

「あっ……そうだな」

少しのあいだ、ふたりともつっ立ったまま、見あげていた。下枠《したわく》はあまりにも小さくて、フルサイズのときはそこに立てない。下枠に立ったたままちぢむのは、無理だ。ロープは持ってきていない。たとえ持っていたとしても、ルーシーはあの高さまでのぼる自信がなかった。ジャックでもとてものぼれるとは思えない。ドアのそばにイスが一脚《きゃく》あるが、その上に立ってちぢんでも、下枠までは届かない。ジャックと交代で部屋をのぞくことはできる。ルーシーがジャックとともにちぢんでから、ひとりでもとのサイズにもどり、ジャックをミニチュアルームに入れてあげるのだ。でも、それではぜんぜん楽しくない。

ようやく、ルーシーがあることを思いついた。「ジャック、ここで待ってて！」

「この姿でどこに行けっていうんだよ」ジャックが、お得意の皮肉《ひにく》をまぶした返事をよこす。

ルーシーは鍵《かぎ》を放し、もとの大きさにもどった。ジャックはルーシーに触《ふ》れていないので、ミニサイズのまま、巨大《きょだい》なルーシーが廊下《ろうか》を走っていくのを見まもっている。

ルーシーは出入り口のドアのそばで、箱の山を見つけた。美術館で売られているカタログの在庫がしまってある箱だ。その箱のひとつをジャックのところまで運んでいき、「階段を作るね」と、カタログをつぎつぎと取りだして、階段状に積んでいった。

「おおっ、ルーシー、名案だ！」

階段が三段できたところで、ジャックがためしにのぼってみた。カタログの厚みは、約二・五センチ。十三センチのジャックには、ふつうの階段よりも一段一段が少し高いが、のぼれないほどではない。

ジャックを見て、ルーシーが声をあげて笑った。よちよち歩きの子どもが、階段をよじのぼっているみたいなのだ。

「笑うなよ！　ルーシーだって、こうなるんだからな！」

「そうだね。ごめん」

「下枠に届くまで、積みあげてくれ」

ルーシーは、急いでカタログの階段を作っていった。土台を安定させるために、カタログの箱をもう二箱あけ、ようやく完成にこぎつけた。

ジャックが下枠と同じ高さに達した階段のてっぺんに立ち、やった！　と両腕《うで》を宙につきあげ、声をはずませた。「われこそは、山の王者なり！　よーし、ルーシーも来いよ！」

「待って、あとひとつだけ」

ルーシーは、このあいだジャックに手伝ってもらわないとわたれなかった、あの下枠のすきまを思いだしていた。箱のふたからボール紙を少し——二・五センチ×五センチくらい——やぶりとり、そのすきまをふさぐ。うん、これなら、歩いてわたるのにちょうどいい。あたしの工作の腕《うで》は、なかなかのものね！　ルーシーは、誇《ほこ》らしげに顔を輝《かがや》かせた。

鍵《かぎ》をひろおうとしたそのとき、ルーシーは別のことを思いつき、箱に残った数少ないカタログの一冊をつかんだ。自分とともに、ちぢませることにしたのだ。ミニサイズのときに、カタログを見たいと思うかもしれない。そして、床《ゆか》から鍵をひろいあげ、次の瞬間《しゅんかん》には、これ以上ないというくらい高い階段を見あげていた。

階段を、のぼりはじめた。かなりきつい。カタログの表紙がつるつるで、のぼりづらいのだ。しかも、五十段近くある。息をきらしながら、ジャックの待っているてっぺんに、やっとのことでたどりついた。「ふう……。お待たせ。カタログを一冊、持ってきた。いざというときのために。下枠《したわく》の上に置いとくね」

ジャックは、もう待てなかった。「行くぞ！」と、勢いよくE24のほうへ向きなおり、部屋に入ったとたん、あたりをくまなく、すばやくぐるりと見まわした。

ルーシーは、ここがジャックの好《この》みではないとわかっていた。「カタすぎる」なんていうんだろうな。

だがジャックは、ガラス戸の向こうの景色、十八世紀の世界に興味しんしんだった。窓のすぐ向こうで、革命が起きているかもしれないのだ！　部屋をつっきり、ガラス戸からバルコニーに出た。ルーシーも、すぐ後につづく。ジャックはなにかいおうとして口をあけ、とじた。そのあとも何度か、口をぱくぱくさせている。

「ジャック、だれにも見られないように気をつけて。だれかいないか、注意しなくちゃ。とりあえず、いまはね」ミニチュアルームに初めて入ったジャックのスリルを台無しにはしたくないが、予想外の展開に、ルーシーは用心深くなっていた。でも、ジャックがちゃんと聞いていたかどうかはわからない。

「スッゲー」ジャックは、地平線に目を走らせていた。

いまのところ、視界に入る動物は木立《こだち》の中のリスと鳥だけで、人間は見あたらない。バルコニーの左側に階段があり、踊《おど》り場へ、本格的な庭へと、おりられるようになっている。

「よーし！　探検だ！」

「ちょ、ちょっと、ジャック……！」ジャックは、すでに一段飛びでかけおりている。ルーシーは追いかけながら、さらにつづけた。「早まらないほうがいいんじゃないの！　この服よ。だれかに見られたら、どうするのよ？」

その言葉にジャックが立ちどまり、自分の服装を見て、我にかえった。「そうだ、たしかに。

でも、だれもいないぞ。だれか見えるか？」

「ううん。だれもいないのかもしれないけど、この魔法《まほう》がどこまで効くか、わからないでしょ？よーく考えようよ」

ふたりは階段の踊《おど》り場に腰《こし》かけ、あたりを見わたし、景色に見入った。季節は初夏のようだ。

「ここは昼間なのに、シカゴは夜なんて、おもしろいわね」

「背景画と一致《いっち》するようになってるんだろうな」

「うん、そうみたい」少し間《ま》をおいて、ルーシーがつづけた。「ここ、雰囲気《ふんいき》がかなりちがうよね。空気まで、においがちがうと思わない？」

「うん、シカゴとは、まるでちがってるよな」

車やバスの排気《はいき》ガスがないし、雪や氷のように冷たい風のにおいもしない。ふたりとも、いろいろ考えながらだまっていた。

やがて、ジャックがまた口をひらいた。「いまのおれたちに必要なものはなにか、わかるよな？服だ。この時代にふさわしい服」

「E25の部屋はブドワールで――」

「えっ、なに？」ジャックが、とちゅうでさえぎった。

「ブドワール。フランス語で〝寝室《しんしつ》〟とか〝着替《が》えの間《ま》〟という意味。お金持ちが使う部屋。カタログで読んだの。そこに、クロゼットや衣装入れがあるかも。行ってみようよ」

階段をのぼり、部屋を通りぬけて、下枠《したわく》にもどり、そこを伝ってE25の部屋に向かった。側面のドアから入ると、更衣室《こういしつ》のような部屋に出た。休憩《きゅうけい》用に、天蓋《てんがい》つきのソファーベッドが一台ある。つやのある床《ゆか》は、大理石のタイル張りだ。更衣室のとなりには、浴槽《よくそう》のある部屋がつづいていた。ルーシーが初めてミニチュアルームを見たときにびっくりした、あの部屋だ。浴槽は床のちょうど真ん中に埋《う》まっていた。やはり大理石製で、足がすべらないよう、手すりがわりの金の鎖《くさり》が、内側をぐるっと取りかこんでいる。暖炉《だんろ》の模様《もよう》は、壁《かべ》の模様とおそろいだ。浴室に暖炉があるなんて――。ルーシーには、信じられなかった。

ジャックが口笛《くちぶえ》を吹《ふ》いた。「ワオ、王様か女王様の浴室だな、きっと!」と、浴槽におりていく。

「カタログによると、フランス革命直後のお金持ちは、こんな暮らしをしてたんだって」ようやくルーシーは、歴史について少しだけ語ることができた。E25の部屋については、今朝《けさ》読んだばかりだった。

「スゲー。お湯は、どこから出るんだ? 蛇口《じゃぐち》がないぞ」

「たぶん、召使《めし》いが運んでくるのよ」

部屋を見まわしたが、この部屋にはクロゼットも、ワードローブも、衣服もない。

「たしか同じ時代で、大きなワードローブのある部屋があった気がする」と、ルーシー。「カタログを見てみようよ」ルーシーは部屋の外の下枠《したわく》に出て、カタログのページをめくり、「あった、三つ先の部屋」と、左のほうを指さした。

「よし、ルーシー、行ってみよう」

E24、E23……と部屋番号をかぞえながら、下枠に沿って走った。E22は〈十八世紀のフランスの寝室《しんしつ》〉だ。この部屋の入り口は裏側《うらがわ》にあった。下枠からまっすぐ入れるように開口部があり、そこから短い階段をのぼってくだると、せまい寝室に出た。

どう見ても、王族の部屋ではない。こぢんまりとしたこの部屋が、ルーシーはかなり気に入った。壁《かべ》がくりぬかれ、そこにベッドが置いてあり、カーテンをしめられるようになっている。暖炉《だんろ》の上には、青いドレス姿の女性の肖像画《しょうぞうが》。階段のとなりには、背の高い振《ふ》り子時計。窓の外は、日当たりのよい庭。窓のある壁には、美しい彫刻《ちょうこく》のほどこされた、大きな木製のワードローブがひとつ。

ジャックはワードローブにかけよって、扉《とびら》をあけた。「やった、大当たり！」

「うわあ、本物の服よ！」

ふたりとも目の前にぶらさがっている服を調べ、ひとつひとつ取りだしていった。

「サイズが合うのがあれば、いいんだけど」

「なんか、ハロウィーンの仮装みたいだ！」

ジャックはルーシーほど興奮《こうふん》していないが、機嫌《きげん》良くつきあっている。

男子の服と女子の服は、かんたんに見分けがついた。女子はドレス、男子はスーツだ。ルーシーは、肖像画の女性と同じような、うすい青色の綿のドレスをえらんだ。裾《すそ》が床《ゆか》まであり、袖《そで》が長く、まるい襟《えり》が大きくあいている。肩《かた》にスカーフのようなショールをかけるらしい。地味な生地だが、肌《はだ》ざわりはいい。ワードローブの底には、先のとがった上靴《うわぐつ》が二足しまってあった。どちらもルーシーには少し大きくて、履《は》き心地はあまりよくない。履きやすくなるよう、ハンカチを見つけて丸め、つま先につめた。

男子の服は、ジャックにはあまりにもフォーマルすぎた。カーゴパンツやTシャツとは、まるでちがう。ズボンは白い生地で、ひざまでしか丈《たけ》がない。ひざから下は、白いソックスでかくすらしい。ジャケットはタキシード風で、ダブルでテールがある。色は灰色がかった青。ジャケットの下には、白いシャツ。シャツの襟はスカーフみたいで、首のまわりでちょう結びをするようになっている。ジャックにはサイズが少し大きめだが、パンツは腰《こし》でしばれそうだ。

ジャックは足が大きいので、留《と》め金《がね》のついた変わった靴《くつ》はぴったり合った。

「これ、マジで履《は》かないとダメかな？」ジャックが、ハイソックスを持ちあげながらいった。

「うん。もし外にだれかいたら、どうする？　ちがうかっこうは、したくないでしょ」

「肖像画《しょうぞうが》のジョージ・ワシントンは、いつもこういうかっこうをしてるよな」

「うんうん、そう。あたしの服は、昔のアメリカの労働者階級って感じ？」

「まあ、時代的には合ってるよな。アメリカの部屋じゃないけど」と、ジャック。「とにかく、このかっこうだとものすごく気持ち悪いのは、たしかだな！」

「まあね。でも、とりあえず、E24と同じ時代の服よ。いつもの服じゃ、もっと居心地の悪い思いをすることになるじゃない」と、ルーシー。「じゃあ、これで決まりね。ジャックは、部屋の外で着かえて」

この時代のドレスを着るのは、一苦労《ひとくろう》だった。もちろんファスナーはない。かわりに、小さいボタンが無数にある。鏡は、ドレッサーの上の壁《かべ》に小さいものが一枚のみ。全身が映るまでさがれば、どんなかっこうをしているのか、だいたいわかる。あんのじょう、ドレスはぶかぶかだが、ウエストにサッシュを巻けばなんとかなる。襟《えり》ぐりがあきすぎているのは、肩《かた》のショールでごまかせる。ルーシーは、自分のドレス姿がすっかり気に入った。

ジャックが、恥《は》ずかしそうな顔で部屋にもどってきた。ジャックのそんな顔は、めったに見られない。「ひざ丈《たけ》の白いズボンと、サイズが合わないタキシードのジャケットかよ。ほかに見る人がいなくて、マジで助かったぜ！」

「あーあ、カメラがあればいいのに！」ルーシーは、声をあげて笑った。「ジャック、鏡を見たら。十八世紀なら、そう悪くないわよ！」

「ま、いいか」ジャックが鏡に全身を映そうとしながら、つぶやいた。「とりあえずこれで、外を探検できるわけだし」

9

ソフィー

時代にふさわしい服を着たジャックとルーシーは、もう目立つことはあるまいと自信満々で、E24のバルコニーの階段をおりていった。

階段をおりきったところで、ルーシーは部屋のほうをふりかえった。ここからだと、二階建ての石灰石の建物であることがわかる。公園のスズカケノキの木立《こだち》に埋《う》もれている建物は、ほかに見あたらない。ふたりの前には、森へのびていく道に沿って、花々や低木の茂みがきれいにならんでいた。同じ道を反対方向に行くと、小高い丘と、噴水《ふんすい》のある池がある。ルーシーがシカゴで見慣れている公園とはちがい、かなり本格的な庭園だった。

この庭園には、鳥とリスと数羽《わ》のウサギしかいないと思っていたら、こんもりと花が咲きほこった茂みのかげの芝生《しばふ》に座《すわ》って、ひとりの少女が本を読んでいた。少女を見かけたときには、ふたりともすでに引きかえすタイミングを失っていた。

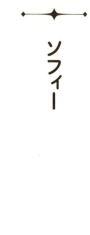

少女がふたりを見て、首をかしげ、フランス語でしゃべりかけてきた。「ボンジュール」興味しんしん、という顔をしている。年は同じくらいか、やや上か。優雅《ゆうが》なドレスと、やけに凝《こ》った髪型《かみがた》のせいで、年齢《ねんれい》はわかりにくい。髪は頭上に高く結いあげてあり、不自然に白い。

「ボンジュール」ルーシーもすぐにあいさつし、フランス語でぎこちなくつづけた。「ヌー・ヌ・パルロン・パ・フランセ」

「ゲッ！　いま、なんていったんだよ？」と、ジャック。

「フランス語は話せません、っていったの」こんにちは、さようなら、ありがとう、以外にフランス語でいえるのは、これだけだ。ルーシーの母親は以前からずっと、ルーシーにフランス語を教えようとしていた。ちゃんと教わっておけばよかったと、ルーシーは後悔《こうかい》していた。

「まあ、そうですわよね。服装を見れば、わかることでしたわ。イングランドから、いらしたの？」少女の英語は完ぺきだったが、わずかにフランス語の訛《なま》りがあった。

「合衆国からですよ」ジャックがこたえる。

「まあ、聞いたことのない場所ですわ」

「アメリカから来たんです」ルーシーがつけくわえた。十八世紀にアメリカを〝合衆国〟とはだれもいわなかっただろう、と思ったのだ。

「まあ、植民地の？　でも、とても遠いわ！　植民地からいらした方と会うのは、初めてよ！」少女は、声をはずませている。

ルーシーは、ふと好奇心《こうきしん》をそそられて、たずねた。「英語がすごくお上手《じょうず》だけど、どこで教わったの？」

「もちろん、家庭教師よ」少女は、読書しながら反対方向の森へ歩いていくひとりの男性を指さし、呼びよせようとした。が、ジャックが止めた。きわどい状況《じょうきょう》になりかねないことに、はたと気づいたのだ。

「あっ、呼ばないで！　おれたち、ここにいちゃマズいんだ」このあと、どうつづけたらいいのかわからないまま、ジャックがいった。

「まあ、そういうことね」少女が、ルーシーとジャックにほほえみかける。「あなたたちも、家庭教師から逃《に》げてきたのね？」

「そうそう、そういうこと」これはルーシーだ。いいわけは、なんでもいい。「こんなによく晴れた日に、これ以上勉強させられたら、おかしくなっちゃうと思って」

「わたくし、ソフィー・ラコンブと申します」少女が、片手をさしだしながらいった。ジャックが手にあいさつのキスをできるよう、さしだしたのだ。だがルーシーはわかったが、ジャックは察しが悪い。ルーシーにひじでつっつかれて、ようやく理解し、ソフィーの手を取った。

「この子はジャック。あたしはルーシーです」ルーシーが、ジャックのぶんまで自己紹介《しょうかい》した。

ソフィーはふたりにほほえみかけ、二人の名前をフランス語風の発音でくりかえした。「お会いできて、うれしくてよ」完ぺきなマナーだ。ソフィーは満面に笑みをうかべて、つけくわえた。「わたくしも、いっしょに逃亡《とうぼう》させていただくわ！」ふたりの答えを待たず、家庭教師と反対の方角へ走りだす。どっちにしても、男の家庭教師は目下《もっか》、読書に夢中で、ソフィーには関心がないようだ。ルーシーとジャックはほかにどうしたらいいかわからず、ついていった。

ルーシーは、E24の部屋から遠く離れてしまうのが少し不安で、肩《かた》ごしにふりかえり、まだ部屋が見えるかどうかたしかめた。けれど、心配する必要はなかった。小高い丘を道なりに少し進んだら、池に出た。石灰石の建物とE24のバルコニーが、まだ見える。

「ここに座《すわ》りましょう。さあ、植民地や、はるばるパリまで訪《たず》ねてきたお相手のことを、全部聞かせてくださいな」

「えっ、パリ？」と、ジャック。いままでルーシーもジャックも、パリにいるとは思いもしなかった。カタログには、フランス、としか書いてないし、いままでに見たパリの絵とはようすがかなりちがう。町、という感じがぜんぜんしない。「ええっと……そうそう、パリだよね。ルーシー、ここに来た理由を説明してくれ」

ルーシーは、ジャックをにらみつけた。ジャックがうまくこたえてくれるとばかり、思っていたのだ。「ええっと、あの……」おずおずと切りだした。「まず最初に……ここに来られて、すごく幸運だったと――」

「ええ、ええ、そうでしょうとも」ソフィーが口をはさむ。「アメリカからの船旅で船がしずんだ話は、たくさん聞いていることよ」

「いやあ、とにかく荒れた航海《こうかい》だった」ジャックが飛びついた。「三回も嵐にあって、あやうく死にかけたんだ！」大海原《おおうなばら》を航海する、という糸口さえあれば、あとは問題ない。「大西洋をわたるのは、想像もつかないくらい大変でね。ルーシーなんか、ずーっと船酔《よ》いしてたんだ！」

「モン・ディウー！　それは大変！」ソフィーは、大きな目を見ひらいている。

ルーシーは、ジャックがひとりでしゃべっているかぎりは、このホラ話に文句《もんく》をいうつもりはなかった。ソフィーも目を丸くして、ジャックをひたすら見つめている。

「まあ、それで？」

「で、おれたちは、両親とともにここに来て――」

「じゃあ、ご兄弟ですの？」

「うん。うちの父親は、植民地で活躍《かつやく》してるベンジャミン・フランクリンの補佐官なんだ！」

ええっ！　これには、ルーシーが目を丸くした。

「まあ、ムッシュー・フランクリンの！」ソフィーが叫《さけ》ぶ。「とても魅力的《みりょくてき》な方だと、うかがってますわ！　ムッシュー・フランクリンは、王様になられるの？　あなたたちのいう〝大統領〟になられるのかしら？」

「いやいや、それはないね。ぜったいにない」ジャックは、自信たっぷりにいいきった。「なにせミスター・フランクリンは、いまの仕事が気に入ってるんで」

うまくごまかしたわね、とルーシーは思った。ジャックはついさっきまで口が重かったくせに、いまはその場ででっちあげたみごとな冒険談《ぼうけんだん》を、立て板に水を流すようにしゃべっている。

ジャックのホラ話によると、ルーシーとジャックはほんの数週間前にパリにやってきたことになっていた。ベンジャミン・フランクリンがフランスにいるので、ふたりの〝父親〟もフランスに来ざるをえなかった、とのこと。ジャックは戦争と歴史関係の本が好《す》きで、ベンジャミン・フランクリンがアメリカ独立革命の最中に、アメリカという新しい国の味方を作り、フランス政府から資金を借り、アメリカ大使館を設置するためにパリへ派遣《はけん》されていたのをおぼえていた。アメリカ独立革命に刺激《しげき》されて、フランス国民がルイ十六世と王妃《おうひ》マリー・アントワネットをたおし、その首はもちろん、とりまきの貴族たちの首をはねたことも、おぼえていた。歴史にすごくくわしいので、そういった事実をホラ話におりまぜることができるのだ。

そのあとジャックは機転をきかし、話題を変えた。「で、きみは？　ご家族は、パリでなにをしているの？」

ソフィーは、質問されてワクワクしたようだ。ソフィーの答えは、ルーシーとジャックにとって少し意外だった。ふたりには、ソフィーの両親がまともな仕事には——毎日職場に通って、給料をもらってくる仕事には——ついていないように思えた。王や王妃とただ仲良くつるんでいるとしか思えない。一家で〝宮廷《きゅうてい》〟に住んでいるのだ、とソフィーはいっていた。

どういう意味なのか、ルーシーにはいまひとつわからなかった。それでも、ソフィーの家が大金持ちであることは感じていた。つまり、いずれギロチンで首をはねられることになる人たちだ。ルーシーはソフィーが好《す》きになっていた。もし同じ時代を生きていたら、友だちになれただろう。

そのソフィーは、ジャックに好意《こうい》をいだいているのが見え見えだった——とくに、ジャックの年齢《ねんれい》をたずねたときは。「まあ、まだ十一歳《さい》ですの？　モン・ディウー！　もっと年上かと思ってましてよ」と、ジャックに向かって、まつげをパチパチさせたのだ。

男に向かってまつげをパチパチ、なんて、ルーシーは映画でしか見たことがなかった。ソフィーがジャックを誘惑《ゆうわく》するなんて！　なんとなく、こっけいだった。服装や髪型《かみがた》から想像される年齢よりも、はるかに子どもっぽい感じがする。

「もうすぐ十二だけどね」と、ジャックがつけくわえた。

「あら、ジャック！」ルーシーは、会話に割って入った。さっき、船旅のあいだずーっと船酔《よ》いしていた、といわれた仕返しだ。「あと十カ月たたないと、十二にはならないわよ」と、わけ知り顔でジャックにほほえみかけ、「あたしのほうが年上なの」と、ソフィーに向かってつけくわえた。「十二歳《さい》半だから」ウソだ。けれど、いわずにはいられない。「あなたは？　おいくつ？」

「十四よ。わたくしも、あなたたちのようにまだ若かったらいいのに。来年、結婚《けっこん》するの」

ルーシーとジャックは、思わず顔を見あわせた。ルーシーは、ソフィーよりほんの数歳年上の姉クレアが結婚するのを想像しようとしたが、無理だった。

「結婚！　だれと？」ルーシーは、たずねた。

「まだ、わからないの。もちろん、宮廷の方だろうけれど、それ以上のことは……。父が決めることですの」悲しい事実であるかのようにいう。「ねえ、あなたたちの国について、もっと聞かせてくださらない？　革命について、なにもかも！」

ジャックは、アメリカ革命や、植民地の人々がどうやってイギリスの国王から独立を勝ちとったかについて、こまぎれの情報をできるかぎり思いだした。

「わたくしたちも、アメリカのように、革命を起こすべきなのかもしれませんわね？」と、ソフィー。

最初ルーシーは、ソフィーがジャックの気を引くためにいったのだと思っていた。

ところがソフィーはにやりとすると、ジャックとルーシーのほうへ身を乗りだし、小声でつけくわえた。「じつはわたくし、いまの国王があまり好《す》きじゃありませんの。でも、どうぞご内密に！」

ジャックは、いずれ革命が起こることを、しかも近いうちに起こることを、いいたくてたまらなかった。しかし、どう伝えたらいいのかわからない。伝えていいのかどうかもわからない。それについて考えるひまもなかった。ソフィーの名前を呼ぶフランス人家庭教師の声が聞こえたのだ。

「わたくし、そろそろ行かないと。明日も、ここにいらっしゃる？」

ルーシーは、いいえ、とこたえようとした。が、ジャックに先を越されてしまった。

「朝早くなら、しばらくいるよ。でもそのあと、父と旅に出ることになってるんだ」

「じゃあ、朝早くここに来ますわ。さがしてくださいませね。では、オー・ルヴォワール！ ご機嫌《きげん》よう！」ソフィーはとちゅうで一度ふりかえって手をふると、家庭教師をさがしに走りさった。

「ワオ！」ソフィーがいなくなると、ジャックがいった。「二百年以上前の人と話をしたなんて……信じられない！」

「あたしも」

ルーシーは、たったいまの出来事をふりかえっていた。なぜ、そんなことが可能なのか、なかなか理解できないでいる。いったいどんな力が、こんなことを引きおこしているの？ 理由はあるの？ なんで、あたしなの？ ジャックなの？ ソフィーなの？ ふたりでバルコニーの階段へともどりながら、ジャックに声をかけた。「すごく感じのいい子ね」

「あの子、将来、どうなるんだろう？ フランス革命は、かなり血なまぐさかったんだ」

E24の部屋にもどり、ふたりとも腰《こし》をおろした。ルーシーは、目の前の日記に好奇心《こうきしん》をそそられながら、さっきのつくえに向かって座《すわ》った。なんて書いてあるのか、ぜひとも知りたい。

ジャックは金縁《きんぶち》のしゃれたカバーのソファーに座《すわ》り、もぞもぞした。「これだけ金をかけるなら、もっとくつろげる家具にすりゃあいいのに」ソファーからおりて、床《ゆか》に手足をのばし、あおむけに寝《ね》そべって、天井《てんじょう》を見あげる。「いま起きてることは、なにもかも、ぜったいヘンだ!」

「そうよね。あたしたちは十三センチだってこと、うっかりすると忘《わす》れちゃう!」ふとルーシーは、エンピツのことを思いだした。「そうそう、ジャック、これ見て」ひきだしから例のエンピツを取りだし、ジャックに見せる。「この部屋にエンピツなんて……ソーン・ミニチュアルームのどの部屋にも、エンピツなんて、あるわけないよね。なんでここにあるのかな?」

「おかしいな。うん、ぜったい、おかしい。なぜこんなことが起きてるのか、原因をつきとめられるものなら、つきとめようぜ」

ルーシーは、部屋の向こうとこっちにわかれていても、ジャックが脳ミソをフル回転させているのがわかった。「なにか、ピンとくる? あたしたちのための指示とか、ユーザー用マニュアルとか、どこにも見かけないんだけど」

「よし、いちばん最初の部屋をのぞいてみよう。E1だ。城の部屋じゃなかったっけ?」

「うん、たぶん……。カタログを見てみようよ」

ふたりはＥ24の部屋を出て、下枠《したわく》にもどった。ルーシーがひざをつき、カタログの最初のほうへとページをめくる。「うん。一五五〇年ぐらいのイギリスの部屋よ」

「ということは、コロンブスが青い海原《うなばら》を航海《こうかい》してから、およそ六十年後ってわけだ」ジャックはそういうと、ルーシーにたずねた。「その時代の出来事について、なにかおぼえてるか？」

ルーシーはジャックを見て、天をあおいだ。「あたし、これからはぜったい、歴史の授業をもっとちゃんと聞こうっと。ねえ、Ｅ１に行けば、なにか答えが出ると思う？」

「どうだろうな。でも、スタート地点としては妥当《だとう》だろ。とにかく、この服を脱《ぬ》ごう。きゅうくつで、たまらないぜ」

10

襲撃

下枠《したわく》を通ってＥ22の部屋にもどり、さっき脱《ぬ》いだ自分の服を見つけた。ルーシーは着かえるために部屋に残り、ジャックは外に出た。靴《くつ》ひもを結ぶためにかがみこんだ瞬間《しゅんかん》、ルーシーはしつこく自分の名を呼ぶジャックの声を耳にした。

「すぐに行くから。靴ぐらい、履《は》かせてよ」まったく、せっかちなんだから！

ところが次に起きたことのせいで、ルーシーはジャックの声がいらついていた理由を悟《さと》った。部屋の裏側《うらがわ》から外に出たら、すぐ目の前の下枠に、毛むくじゃらの長い足を何本も宙でばたつかせている、ゴキブリのような生物が一匹《ぴき》いたのだ。ＳＦ映画のおぞましい怪物《かいぶつ》そっくりだ！

ルーシーは叫《さけ》ぼうとした。だが、弱々しいあえぎ声しか出ない。

顔全体の前で触覚《しょっかく》をピクピクさせている、巨大《きょだい》な生物。こっちをまっすぐ見つめる、飛びだした目――。

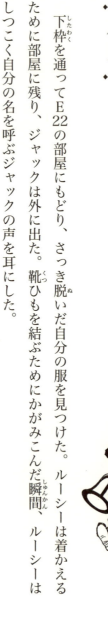

ルーシーは、部屋の中にかけもどった。

早く、考えなくちゃ。全身がふるえているのが、自分でもわかる。ジャックはどこ？　六本のギザギザの足と、あたしの腕《うで》と同じくらい長い触覚を持つあの巨大な虫は、着かえ中のジャックを下枠からたたき落とした？　虫を見たジャックがあわてふためいて、落ちちゃったとか？　あの高さから落ちたら、死んじゃう。そんな、まさか！　だからさっき、あんなにあわてて、あたしを呼んだんだ！

科学の授業はあるていど聞いていたので、ゴキブリが雑食で、なんでも食べることは知っていた。

武器がいる。部屋の中を見まわした。火かき棒《ぼう》でがまんするしかない。とりあえず、それで戦える。ルーシーは火かき棒をつかみ、走ってもどった。

おぞましいゴキブリは、下枠でルーシーを待っていた。サイズからすると、家でよく見かけるゴキブリではなさそうだ。下水管からあがってくる、チャバネゴキブリだろう。体長は、ざっと見つもっても五センチはある。ただし、足の長さはのぞいてだ。こんなにみにくいものは、見たことがない！

ルーシーは、ゴキブリをめがけて、火かき棒をふりおろした。

ゴキブリは不ぞろいのとがった歯をむきだし、ルーシーに向かってシューシューと、ぞっとするようなベタつく音を立てている。

あたし、気絶しそう！　けれど、気絶している場合ではない。ジャックを見つけなければ。ジャックはどこ？　どこにいる？

ゴキブリは、ルーシーとの戦いに興味をしめしたようだ。二本の後ろ足で立ちあがり、残り四本の足でルーシーになぐりかかってくる。

幸いなことに、ルーシーには頭脳という強みがあった。ゴキブリが後ろ足で立つと同時に、ルーシーはその片方の後ろ足に火かき棒《ぼう》の先端《せんたん》をひっかけ、すばやく手前に引っぱった。ゴキブリがバランスをくずし、勢いよくひっくりかえる。

ゴキブリが下枠《したわく》であおむけにたおれ、態勢をととのえようともがきながら、毛むくじゃらの足を宙でバタつかせているすきに、ルーシーはそのわきをすりぬけた。

「ジャック！　ジャック！　どこ？」下枠を走り、カタログの階段にたどりついた。

そのとき、ジャックの声がした。「ここだ！」

ふりかえったら、自分よりも大きい燭台《しょくだい》を一本かかえながら、こっちへ走ってくるジャックの姿が見えた。ゴキブリをはさんで、反対側にいる。

「剣とか、武器になりそうなものをさがしたけど、これしかなかった！」ジャックがそういうと同時に、巨大《きょだい》ゴキブリがようやく体をひっくりかえし、すぐ目の前にいるジャックに猛然《もうぜん》と襲《おそ》いかかろうとした。ジャックは、果敢《かかん》にもその場にとどまっている。

「ジャック、部屋にもどって！　はたき落とされちゃう！」

「でも、たおさないと！」

ルーシーは、カタログの階段の一番上の段にいた。もとのサイズにもどるために階段をおりていたら、ジャックを助ける時間がない。間《ま》にあわない！　いちかばちか、やってみよう。ジャンプするのだ！　ポケットに手をつっこみ、鍵《かぎ》をにぎりしめ、カタログの階段から飛びおりながら鍵を手放し——。

まさに一瞬《いっしゅん》の出来事だった。ジャンプしたときは高いビルから飛びおりている気分だったが、空中で上にも下にも体が伸びていく。結局、ジャンプした地点よりも頭の位置が上で、足が床《ゆか》にたたきつけられるようにして着地した。しかし、そんなことにかまっている場合ではない。燭台をバット代わりにしようとするジャックに、ゴキブリが六本ある足の四本でなぐりかかっている。

ジャックが、もとの大きさにもどったルーシーを見て、二、三歩さがり、絶叫《ぜっきょう》した。「殺してくれ！　早く！」

とつぜん、状況《じょうきょう》が一変した。大親友のジャックをおびやかしていた巨大《きょだい》生物が、いまは学校の実験室にいるゴキブリと同じくらい、小さく見える。気持ち悪いが、命の危険は感じない。学校ではぜったい直接さわれないだろうが、ルーシーはあわれなゴキブリをすばやくつまむと、床《ゆか》に落とし、足で思いきり踏《ふ》みつぶした。いつもなら、うっ、とひるむような音も、いまは勝利のサインだ。

「あたし、昔から、ゴキブリは大っきらい」ルーシーは、ジャックにほほえみかけた。

ジャックは息をきらしながら、下枠《したわく》にへたりこんだ。「おれも……いまは……大きらいだ！」といってから、一言つけくわえる。「サンキュー！」

ふたりとも、少しのあいだ休んだ。さっきのゴキブリは死んだとわかっていても、あのシューシューと息を吐《は》く巨大ゴキブリのイメージは、そうかんたんには忘《わす》れられそうにない。死んだとはいえ、油断できないことは、ふたりともわかっていた。ゴキブリが一匹《ぴき》でもいた場所は、たいていもっといるものなのだ。しかもルーシーは、探検を続けるために、五十段の階段をもう一度のぼらなければならない。

ジャックは、息をととのえて落ちつくまでに少しかかった。竜《りゅう》にあやうく殺されかけた、竜退治の騎士《きし》みたいな顔をしている。「おーい、食べ物を持ってきてくれよ。巨大ゴキブリと戦って、おれ、腹ペコなんだ！」ジャックが、下枠から声をはりあげた。

「ねえ、ジャック。どこかダイニングをさがして、ディナーを食べてるお金持ちの気分を味わってみない？」

ルーシーは、またちぢんで、カタログの階段をのぼりきってから、ジャックにそう持ちかけた。ポケットの中には、ミニサイズにして持ってきたスナック菓子《がし》がつまっている。

「おれは食えれば、なんでもいいや」

「そっか。はい、これ」ルーシーは、クラッカーの袋をわたしながらいった。「でもあたしは、おしゃれに食べたいな」下枠をずんずんと進み、E1に向かって番号をさかのぼり、E20の部屋をのぞきこんだ。木製のパネルがはりめぐらされた、父親がうっとりしそうな書斎《しょさい》だ。となりのE19はダイニングだが、ルーシーの好《この》みではなかった。

「おーい、待ってくれよ」ジャックが数枚のクラッカーを口に放りこみ、数歩後ろで声をあげた。

「離れ離れはダメだ、ルーシー。ゴキブリたちが、あちこち走りまわってるかもしれないぞ」

「じゃあ、おいでよ」ルーシーはジャックをE18の部屋へと手まねきし、ふたりで出入り口に立った。部屋の表面という表面が金ピカで、まぶしくて目をあけていられない。

「こんなところで暮らしたいなんて、いったいだれが思うんだ？」と、ジャック。

ルーシーは、暖炉《だんろ》の上の大きな肖像画《しょうぞうが》を指さした。「あの人よ」肖像画の主は、ルイ十四世だと知っていた。「フランスの国王さま」

「へーえ、ミニチュアルームのことは、ホントになんでも知ってるんだなあ」

ジャックもたまにはあたしに感心してくれるのね、とルーシーはうれしくなった。「だって今週はずーっと、カタログのことしか頭になかったんだもん。さあ、先に進もう」

となりのE17は、先週見た寝室《しんしつ》だった。もしかしたら今夜は、この寝室で寝《ね》ることになるかも。ルーシーにとってはこの部屋は、いまだにステキな部屋のひとつだ。

さらにとなりのE16は、さっきジャックがゴキブリと戦うときに使った燭台《しょくだい》を見つけた部屋だった。フランスの城のダイニングだ。ジャックはまだ燭台をかかえたまま、飛びはねるようにしてその部屋に入った。燭台をもとの位置にもどし、イスに勢いよく座《すわ》り、両足をテーブルに乗せてすっかりくつろぎ、「よーし、食べようぞ！」などと、王様のように命令する。

「はい、はい」ルーシーはポケットからチップスの袋を引っぱりだし、テーブルについた。

凝《こ》った彫刻《ちょうこく》のほどこされた、長くてがんじょうな木製のテーブルだ。テーブルはもちろん、部屋の中のものはほぼすべて木製で、細かいところまで彫刻がほどこされていた。壁《かべ》は石。天《てん》井《じょう》は少なくとも六メートルの高さがあり、頭上には、ロウソクが何本も立てられた大きなシャンデリアが吊《つ》るされている。あれだけたくさんのロウソクに、どうやって火をつけるのだろう？

「な、この部屋、いいだろ？　自分の家だといいなって思わないか？」ジャックが、部屋全体を見まわしながらたずねた。

ルーシーには、それほどいいとは思えなかった。「うーん、どうかなあ……。夜は、こわい気がする」

「おれがここの主《あるじ》だとしたら、大型犬を何匹《びき》も飼って、一年中そばに置いとくだろうな。いい番犬になるし、狩《か》りに持ってこいだ。ほら、昔の王様も飼ってたろ」

「うん、まあ、そうねえ」ルーシーは、ピンとこなかった。

その部屋には、巨大《きょだい》な窓がふたつあった。どちらも小さなガラスが何枚もはまっていて、中庭に面している。中庭は片側が城のれんがの壁で、通りに面しており、通りの先には緑の景色が見える。窓の下のほうのガラスは、大半が一枚一枚あくようになっているらしい。あいている窓もあり、E24の部屋と同じように、鳥のさえずりが聞こえ、部屋に流れこむそよ風を感じることに、ルーシーは気づいた。

そのとき、予想外の出来事が、ふたりの身にふりかかった。外の遠くから、フランス語で叫《さけ》ぶ複数の声が聞こえてきたのだ。なにをいっているのか、ルーシーもジャックもさっぱりわからなかったが、友好的《ゆうこうてき》でないのはまちがいない。その声には、別の音もまじっていた。ヒューという音と、ドサッという鈍《にぶ》い音と、金属のぶつかりあう音だ。

「ん？　なんの音だ？」ジャックがはじかれたように立ちあがり、あいた窓にかけよって、外をのぞき——あんぐりと口をあけた。

なんと、すぐ外で、戦闘《せんとう》がくりひろげられていた。ヒューという音は、鎧兜《よろいかぶと》をまとった騎士《きし》たちが弓から放った何百本もの矢が、宙を飛ぶ音だったのだ。地面にぶつかる矢もあれば、盾《たて》に当たる矢もある。騎士の多くは馬に乗っていて、映画のワンシーンのように、たがいに槍《やり》や剣で戦っていた。剣と矢が盾にぶつかって、すさまじい金属音を立てている。

ルーシーは、窓辺のジャックの後ろに立った。包囲攻撃《こうげき》の真っ最中の城にいるのは、さすがにちょっと危険すぎるような——。戦闘がはげしくなるにつれて、弱いほうの軍勢がじりじりと、城へ追いつめられていく。

「ふせろ！」ジャックがルーシーに叫《さけ》んだ。ルーシーは、すでに石の床《ゆか》にふせていた。

一本の矢があいた窓から飛びこんできて、ふたりのすぐ頭上を通過し、反対側の床に落ちる。

「スゲー！」ジャックが矢をひろおうと、すべる床を四つんばいになってつっきった。が、矢に手をのばした瞬間《しゅんかん》、矢がパッと消えた。ジャックは、またしてもあぜんとした。

ルーシーはあやうく射《い》られそうになって、かなりおびえつつ、いま目にした光景の意味を考えようとした。「ふしぎね……」イスの裏《うら》にかくれ、床につっぷしたまま、いう。

「いったい、どこに行っちまったんだ？　たったいま、ここに矢が落ちたのを見たよな、な？」ジャックが、信じられないという顔でたずねる。

「うん、見たよ。見た」

そのとき、また矢が窓から飛びこんできて、ジャックのすぐそばを通過した。その矢も、数秒後にはパッと消えた。

「ねえ、矢の通り道は、避《さ》けたほうがいいんじゃない？　消えるまでは、りっぱな武器だし」

「そ、そうだな」ジャックがあわてて大きなテーブルの裏へ、矢の飛んでこない場所へと、移動する。

窓からつぎつぎと矢が飛びこんでくるあいだ、ふたりとも床でじっとしていた。

「さっきからずっと考えてたんだけどね、ジャック、なんでどの部屋にも過去の人間がいないのかな？」一本の矢が床をすべり、ふたりの目の前で消えた。「あの人たちって……ソフィーも、外にいる騎士《きし》たちも、この部屋に入れないんじゃない？　だから矢も消えたのよ。もしかしたら騎士たちは、この部屋を見ていないのかも……というか、見えないのかも」

「明日になれば、わかるさ。ソフィーにきけばいい」と、ジャック。「公園にいるソフィーから、E24のバルコニーが見えてるかどうか、だよな」

「そうね、そうよね。でも、うまくきかないと」ルーシーはこの一時間で起きたいろいろなことをふりかえるうち、自分が知らず知らずのうちに大きな賭《か》けに出ていたことに気づき、ハッとした。「あっ、そうだ！　あたし、十八世紀の服を着てたとき、鍵《かぎ》はパーカーに入れっぱなしだった。ずーっと鍵なしで歩きまわってたんだ」

「えっ、でも、鍵はずっと持ってないと、いけないんじゃないのか」

「あたしも、そう思ってた。でも、ちがうみたい。少なくとも、ミニチュアルームの中にいるときは……。外にいるときも」と、ルーシーは城の窓を指さしながらつけくわえた。

「つまり、ミニチュアルームの中では、伸びたりちぢんだりしないってわけか」

「うん、そうみたい」

「うーん……」ジャックは、この説が当たっていたらどうなるのか、考えこんだ。「つまり……ここにいれば、ゴキブリに襲《おそ》われずにすむってことかな。おれたちの時代のものは、鍵の魔法《まほう》がかかっているものでないかぎり、ここでは消えちまうってこと？」

「かもしれないけど、よくわかんない。証拠《しょうこ》がなにもないんだもん」ルーシーは、もう少し考えてみた。「でも、あのエンピツは謎《なぞ》よね。あの部屋にあった理由がわからない。ほかにだれか、あたしたちと同じことをした人がいるのでないかぎり……」間《ま》をおいて、つづける。「この魔法って、一方通行なのかな。あたしたちの時代からは過去に入れるけど、過去の人たちは未来に入れないとか。だとしたら、ゴキブリのことは、まだ安心できないよね。外からなにか持ってきて……」と、廊下《ろうか》のほうを指さす。「ちぢんでいないものを持ちこんで、どうなるか調べないと。あたしたちが持ちはこべるくらい、小さなものを。ボタンとか」窓の外で盛大にくりひろげられている戦闘《せんとう》の声に負けじと、声をはりあげる。

「なるほど、そうすれば、ルーシーの説が正しいかどうか、わかるよな」

「うん。説明はつかないけどね」

11

過去からの声

ジャックはこのまま残って、外の戦闘《せんとう》を見物したかったが、ルーシーが危険すぎると説得して、やめさせた。矢に撃《う》たれたらどうなるか、見当もつかないし、ルーシーはそんな危険をおかしたくなかった。

そこで、ふたりで部屋の外の廊下《ろうか》にもどり、最初の部屋になにかの答えがあることを期待して、ひきつづきE1をめざすことにした。

ルーシーは、となりの部屋をのぞかずにはいられなかった。その部屋、E15も、お気に入りのひとつだったのだ。こんなにエレガントな部屋は、見たことがない。色は黒と白と銀のみ。バルコニーのあるふたつの窓の外には、一九三〇年代のロンドンの夜景が広がっている。光沢《こうたく》のあるすてきなドレスを着た数年後の自分が、もしこの部屋にいるとしたら――。

だが、待ちきれなくなったジャックにせっつかれた。「おい、行こうぜ！」

Ｅ14、Ｅ13、Ｅ12──。Ｅ12は、初めて小さくなったときに入った、チェンバロとバイオリンのある部屋だ。

Ｅ11、Ｅ10、Ｅ９、Ｅ８──。ほかの部屋は、すべて素通りした。Ｅ１になにか秘密があるのでは、と興味しんしんでなかったら、ひとつひとつ、ゆっくりと見てまわっただろう。

Ｅ６までたどりついたとき、ふたりはある問題に直面した。なぜいままで気づかなかったのか、とふしぎになるほど、わかりきった問題だ。Ｅ６〈イギリスの書斎《しょさい》〉は、この廊下の最後の部屋だった。Ｅ１からＥ５までも続きの廊下にならんでいるが、壁《かべ》のくぼみをはさんで、向かいのドアの奥にある。ここの廊下とそっちの廊下は、非常口で分断されているのだ。

「どうやってＥ１へ行くの？」と、ルーシー。

「ミスター・ベルの鍵《かぎ》で、あっちのドアもあくんじゃないか」

「たぶんね。でも、もとの大きさにもどって出ていったら、センサーに引っかかるか、監視《かんし》カメラに映っちゃう」

「うーん、むずかしいな」

見つめていれば解決する、といわんばかりに、ふたりは下枠《したわく》に立ったまま、ドアをながめていた。と、ルーシーは本当に案がひらめいた。「あたし、また大きくならなくっちゃ。ここで待ってて」ジャックにそういうと、鍵《かぎ》を放し、さっきゴキブリをたおす前にやったように、ジャンプしながら大きくなった。ドアの前によつんばいになったら、ドアの下と、その向こうのカーペットが敷《し》かれた床《ゆか》とのあいだにすきまがあるのがわかり、そこに人差し指をねじこんでみた。

「あたしたち、ミニサイズになれば、このドアの下をなんとか通りぬけて、あっちの廊下《ろうか》にたどりつけると思う。あっちの廊下までは、一メートルとちょっとだし。幅木《はばき》に沿って進めばいいでしょ。ミニサイズなら、きっと小さすぎて、センサーには引っかからない」

「よーし、やろう」下枠《したわく》から、ジャックの小さな声がした。

ルーシーは、ジャックを床におろした。運ぶ側も、運ばれる側も、初めての体験だ。ジャックは立ったままでいようとしたが、とても立っていられないことがわかり、ルーシーの巨大《きょだい》な手のひらにたおれこんで、「うわっ!」と声をあげた。

「あっ、そうそう、もうひとつだけ」ルーシーは、十三センチのジャックにいった。「ケータイを取ってくるね。ここに置きっぱなしにするのは、マズいと思うの」荷物を置いた場所まで走っていって、携帯《けいたい》をつかんだ。ちゃんとポケットにしまうと、ジャックといっしょにドアの下をくぐれるよう、またミニサイズになった。カーペットのループ状の毛房《けぶさ》はどれも大きくて、やわらかく、かきわけられる。伸び放題の草地を、ほふく前進している気分だ。すきまはせまかったが、なんとか通りぬけた。

「ふう、なんてことなかったな！　下を通りぬけられるって、最初からわかっていればなあ。わざわざミスター・ベルの鍵を借りなくてもすんだのに」

「うん。でも、ジャックも小さくなれるなんて、わからなかったじゃない」

ドアのすきまを通りぬけたあとは、カーペットをつっきるという、ちょっとした冒険《ぼうけん》が待っていた。転倒しないよう、スケートリンクの端《はし》につかまってすべるスケート初心者のように、ふたりとも幅木に張りつくようにして進んだ。目の前のいかにも不潔《ふけつ》そうな綿ぼこりはビーンバッグチェアのように大きく、ルーシーはあまり近よりたくなかった。ふたりは向かいのドアまでたどりつくと、ドアの下をくぐりぬけようとしゃがみこんだ。

「ゲッ。こっちのすきまのほうが、はるかにせまいぞ」

「ホントだね」

それでもルーシーは、床につっぷしてくぐりぬけられた。

新しい廊下を見まわした。さっきの廊下とほぼ同じだが、こちらはかなり短い。はるか頭上に、E5とE4の部屋があるのが見える。E3、E2、E1も、すぐ先にあるのだろう。

「あーあ、まただ」ルーシーは、心底がっかりした声でいった。

「またって、なにが……あっ、そうか」ジャックも同じことに気づいた。ふたりとも、背丈《せたけ》は十三センチ。この廊下《ろうか》には、本のつまった箱も、階段を作る材料となりそうなものもない。

だがジャックがすぐに解決法を思いつき、カーゴパンツのあちこちにあるポケットのひとつから、ナイロン製のひもの小さなかたまりをひとつ、引っぱりだした。

ルーシーは、ふと思った。ジャックのポケットの中にないものなんて、ある？　ジャックがそのひもを引っぱって、伸びるのを証明してから、おれの考えていることがわかるよな、とばかりにルーシーを見た。

「えっ、なに？　どういうこと？」

「ルーシーがもとの大きさにもどって、おれを下枠《したわく》に乗せるんだ。で、クギかなにかに、このひもを結びつける。そうしたら、ルーシーが下枠の位置でひもをつかんだまま、ちぢむんだ。きっと、ぴったりの位置に行きつくぞ、うん」

「ねえ、本気で、うまくいくと思ってる？」ルーシーは、おずおずとたずねた。

「まあ、マジでしっかりと、しがみつくんだぞ」ジャックはそう注意してから、つけくわえた。

「でも、ほんの数秒のあいだだけだから。たいしたことないって。おれがルーシーを見つけるよ」

ルーシーは納得していなかったが、ほかに案はない。鍵《かぎ》を放してもとの大きさにもどり、ジャックとひもをE1の部屋の手前の下枠に運んだ。

「よーし、じゃあ、こいつを結べるものをさがしてくれ」ジャックが、ひものかたまりをルーシーにわたしながらいった。巨大《きょだい》なルーシーが持つと、釣《つ》り糸みたいだ。

「ここね」ルーシーはすぐに、ミニチュアルームの箱の裏側《うらがわ》のすぐ上から少し飛びだした一本のネジを見つけ、細いひもをそうっと、ちぎらないように気をつけながら巻きつけた。ひもが垂《た》れた先は、下枠から三センチほど上の位置だった。

「よーし、完ぺきだ！　じゃあ、ひもの端《はし》をつかんで、鍵をひろうんだ」ジャックが、ことなげにいう。

ルーシーは鍵をひろおうとかがみこみ、ふと、ある疑問を感じた。携帯《けいたい》って、小さくなっても使える？　ミニサイズでは、機能しないかも。ためしたことはなかったが、危険をおかしてまで知りたいとは思わない。携帯はポケットから取りだして、もとの大きさのまま、下枠に残しておくことにした。

右手でひもをつかみ、かがんで床《ゆか》の鍵をつかんだ。瞬時《しゅんじ》に、ちぢんでいくのがわかる。今回は、これまでになく異様で、ぞっとする感覚を味わった。小さくなると同時に、どんどん、どんどん引きあげられた。もとの体重でちぎれそうになったひもが、ピンと張っているのも感じる。まさに、ゴムバンドではじきとばされた気分だ。下枠《したわく》に立っていたジャックがルーシーを抱《だ》きとめ、下枠の端《はし》から内側へと引きいれた。

「もう、こんなの、二度とイヤ！」下枠に両足をしっかりと乗せてから、ルーシーはそう宣言し、顔から髪《かみ》をはらいのけた。

「でも、うまくいったろ！」

「そうだけど、バンジージャンプを逆《さか》さにやった気分よ！」

「それのどこがいけないんだよ？」

ルーシーはジャックをじろりとにらみつけ、「E1に行こう」と、E1の入り口に向かって歩きだした。

「おい！　これだ、これ！」ジャックがとつぜん叫《さけ》んだ。なにごとかとふりかえったルーシーに、「ルーシーの説をたしかめるのに、ちょうどいいだろ！」といい、かがんでなにかをひろおうとする。見れば、クギが一本、下枠の端に置いてあった。ジャックの腕《うで》ぐらいの太さのクギだ。

「なんか、ニセモノみたい」ルーシーが、クギをながめていった。

「スゲーじゃん！」ジャックが、クギをかかえて声をはりあげた。「どうなるか、やってみようぜ！」槍《やり》をもった騎士《きし》のごとく、E1の部屋へと進んでいく。

裏側《うらがわ》から部屋の中に入った瞬間《しゅんかん》は、ふたりとも部屋を見ていなかった。ジャックが両腕でかかえた特大のクギをひたすら見つめ、なにかが起きるのを待って、数分間じっと立ちつくした。

「矢はあっというまに消えたのに。なにも起きないね」

「ルーシーが持てば、もしかしたら……」ジャックがそういって、ルーシーにクギをわたし、またしてもふたりでじっと待った。

「これって、つまり、ここにいてもゴキブリから無事とはいえないってことよね」

「そうなるよな。現代のものはこの部屋でも残れるけれど、過去のものは残れないってことか」

「それと、ものがちぢむのは、ちぢんでいる本人がその最中にさわっている場合だけよね」

「ってことは……」ジャックが、その説にしたがってつづけた。「あのエンピツは、だれかといっしょにちぢんだってわけだ」

「そう、そう！　でも、そんなこと、いったいだれが？」ルーシーは考えこんだ。この魔法《まほう》とつながりがあるのは、この鍵《かぎ》だけ？　疑問は山ほどある。解決の糸口を見つけるには、この部屋で手がかりをさがすしかない。「部屋の中を見てまわろうよ」ルーシーは重いクギをおろし、ようやく豪華《ごうか》な空間へと目を走らせながら、つけくわえた。

しばらくじっと立ったまま、順番に見ていった。天井《てんじょう》ひとつとっても、ルーシーにはなじみのないものだった。透《す》かし模様《もよう》の彫刻《ちょうこく》みたいだ。壁《かべ》の下半分には凝《こ》った木製のパネルが貼《は》られ、部屋の奥にはさまざまな戦闘《せんとう》シーンを彫刻した、木製の細長いスクリーンが一枚ある。石造りの大きな暖炉《だんろ》の脇《わき》は一対の甲冑《かっちゅう》が守っていて、甲冑の前のラグには一匹《ぴき》の眠れる犬の像が置いてあった。

「ほら、ジャック、興味しんしんの甲冑があるわよ」

「スッゲー！　この犬がニセモノだなんて、残念だな！」ジャックが甲冑の前に立ち、しげしげとながめた。美術館の上の階にある本物の甲冑と、まさにうりふたつだ。どちらの甲冑も長い槍《やり》を一本ずつ持っている。ジャックは片方の槍をつかんで、その重みを実感し、甲冑のそれぞれの部品がどのようにできているか、たしかめた。部品はすべて、かんたんに取りはずせる。片方の甲冑の片手を取りはずし、手袋のようにはめ、その手を満足げに持ちあげた。「これ、丸ごと着られるよな、きっと。おれ、前からずっと、着てみたかったんだ！」ルーシーの返事を待つことなく、すでに甲冑の片腕《うで》を肩口《かたぐち》まではずしている。

「ちょっと、ジャック、ちゃんともとにもどせるようにしてよ」ルーシーが注意した。

ジャックが甲冑をバラバラにし、各部品を目の前の床《ゆか》にならべていく。

ルーシーは、手がかりをもとめて部屋の中を見まわした。この魔法《まほう》がどうやって、なぜ効くのか、明らかにしてくれそうなものが、なにかない？　手始めに、暖炉から見て右側にある戸《と》棚《だな》の、ぶあつい扉《とびら》をあけてみた。からっぽだ。つづいて、手がかりにならないものかと、壁の彫刻をながめた。部屋の中央の長いテーブルに、一冊の本が置いてあるのに気づいた。すごく読みにくい筆跡《ひっせき》だが、ここはイギリスの部屋なので、言葉はわかる。イタリア旅行についての本だとわかって、驚《おどろ》いた。十六世紀にガイドブックがあったなんて！　ルーシーの母親ならば、夢中になっただろう。彫刻のほどこされた別の小さなつくえの上にも、本が一冊置いてあった。その本をひらいたら、祈《き》とう書だとわかった。

窓のほうを向いた。窓は床から天井までほぼ伸びていて、ダイヤモンド形の小さな格子《こうし》がいくつも入っており、それだけでも見ごたえがある。その外は、緑豊かで青々としていた。窓のすぐ下に低木の茂みがいくつかあり、低い壁の前には木が一本、ぽつんと立っていた。その向こうには、晴れた空の下に、なだらかな長い丘がいくつか広がっている。

ふと、あるものが左側にあるのに気づき、ルーシーはハッとした。背の高いつくえの上、一本の美しい銀色のロウソク立ての横に、鍵《かぎ》のかかった革製の本が一冊置いてある。つくえそのものも彫刻《ちょうこく》がみごとだが、心臓がドキッとしたのは、その本の表紙に描《えが》かれた模様《もよう》のせいだった。魔法《まほう》の鍵《かぎ》の先端《せんたん》と同じデザインで、葉の飾《かざ》りだけでなく、大きなCとMの文字が、金色で浮《う》き彫《ぼ》りになっている。ルーシーはデザインをたしかめたくて、ポケットの中の鍵に手をのばした。が、やめた。鍵から熱が伝わってきて、ポケットの中が温かいと感じるのは、気のせい？それとも、本当？

この本の前に立っていると、なんともいいがたい、ふしぎな感覚をおぼえる。いま、魔法の鍵に触《ふ》れたら、なにか大きなことが起こるような――。たまらなくわくわくする。でも、冷静に、落ちつかないと――。

「ジャック！　ちょっと！　なにか見つけたと思う」

ふりかえったら、ジャックの両腕《うで》と頭が金属におおわれていた。ジャックが兜《かぶと》のひさしをあげて、にやりとする。「なにを見つけたって？」

「こっちに来て、見てよ！」ルーシーは、早く、とジャックを手まねきした。

ジャックが重々しい足音を立てながら、ルーシーの立っているところまで来た。ものの一秒もたたないうちに、その本の模様が鍵の模様と同じことに気づく。

「あたしのポケットから、ジャックが鍵を出して。あたしがさわっちゃいけない気がする。鍵になにか起きてるの。じわっと温かいのよ。危険はおかしたくないの。甲冑《かっちゅう》の手袋をはずして」

ジャックは、金属製の手袋の片方を、手袋をはめたもう片方の手ではずそうともがいた。「おい、手伝ってくれよ」

「んもう、どうやってひとりではめたのよ？」ルーシーが、いらいらしながらたずねた。

「才能があるのさ」ジャックはにやりとし、ルーシーに片方の手袋をはずしてもらい、自分で兜《かぶと》を脱《ぬ》ぐと、ルーシーのポケットから魔法の鍵を取りだした。

「ヘンだなあ。おれには、ちっとも温かくないぞ」ジャックは、魔法の鍵を本のとなりにかざした。「なあ、輝《かがや》きが増したような気がしないか？」

なにか大きなことが起きているはず、と思いながら、ふたりは鍵と本をのぞきこんだ。ジャックが本の錠前《じょうまえ》に魔法の鍵をさしこんだら、鍵がごく自然にまわった。まるで、ひとりでにあいたかのように。ルーシーは、本に片手を置いてひらこうとした。が、指が革に触れた瞬間《しゅんかん》、異様な熱を感じ、すぐに手を引っこめて、ジャックと顔を見あわせた。

「もう一度、さわってみろよ」と、ジャック。

ルーシーは指先でそっと触れ、今度は手をそのまま置いた。

「どうだ？」

「指の下が、だんだん熱くなってくる」ルーシーは、もう二、三秒ようすを見てから、つづけた。「でも、熱は広がらない。熱いのは、本に触《ふ》れている指先だけ。だいじょうぶだと思う」

「あけてみろよ」ジャックが、ルーシーをせっついた。

たとえ鍵《かぎ》の魔法《まほう》をぜんぜん知らない人でも、この本が特別なのはすぐにわかっただろう。ルーシーがひらいた瞬間《しゅんかん》、ページというページから光があふれ出て、本のまわりを満たし、ルーシーとジャックの顔を照らして、ふたりを暖めたのだ。

「ねえ、なにか聞こえない？」

「うん……なんの音だろうな？」

「わかんない。どこから聞こえてくるのかしら？」

ルーシーには、遠くでそよ風に吹《ふ》かれている風鈴《ふうりん》の音のように聞こえた。けれど、風鈴の音色より、もうちょっと高い。チリンチリンという、きらびやかな音。もし星くずがあるとしたら、こんな音だろうな、という気がする。しかも、いたるところから聞こえてくる。

「きれいな音ね」

「たしかに、魔法の音っぽいな」

いままでミニチュアルームで見てきたほかの本と同じように、この本もかなり達筆な人の手書きだった。すべての余白には、あちこちに金と銀がふんだんに使われた、色彩《しきさい》豊かな動物や植物の細密画が描《えが》かれている。

ジャックはすっかり圧倒されて、口笛《くちぶえ》を吹いた。「スッゲー！　ものすごく凝《こ》った文字だなあ。英語だよな？」

「うん、たぶん。これは、日付け？」ルーシーが、ページの先頭を指さす。

「うず巻き模様《もよう》の飾《かざ》りが多すぎて、読めないな」こうすれば多少は読みやすくなる？　とでもいいたげに、ジャックが首をかたむけながらいった。

「ねえ、ここ、見て」ルーシーは先頭の数行を指さした。「読者のみなさんへ、って書いてあるのかな。関係者のみなさんへ、みたいなものよね」ひとりごとをいう。最初は読みにくかったが、文字に目が慣れてくるにつれて、なんとなく読めるようになった。

読者のみなさんへ

ここには、わたくしの身の上話が書いてあります。わたくしの言葉を読んでくださる方には、真実をお伝えします。警告はいたしません。もしあなたがこの本の前に立っているとしたら、あなたはすでに勇者だと証明しているからです。その勇気があるからこそ、このページからすばらしい贈《おく》り物を受けとることができるのです。では、わたくしは何者でしょう？　わたくしは、ミラノの公爵《こうしゃく》夫人のクリスティナ。まだ十六歳《さい》ですが――。

「ジャック、あたし、この人のこと、カタログで読んだおぼえがある！　なんでわからなかったんだろう？　鍵《かぎ》のCとMは、ミラノのMと、クリスティナのC！　あれは、クリスティナの肖像画《しょうぞうが》よ！」ルーシーは、暖炉《だんろ》の左側の壁《かべ》を指さして叫《さけ》んだ。ジャックもそちらを向き、若い女性の全身を描《えが》いた大きな肖像画を見た。深みのある黒い瞳《ひとみ》をふせた、ジャックやルーシーとたいして年が変わらない、黒ずくめの女性の絵だ。

「公爵《こうしゃく》夫人って……あるていど年のいった女性がなるもんだと思ってた」ジャックが、その肖像画をながめながらいった。

「ちがうみたい。カタログによると、イングランド王のヘンリー八世から、結婚《けっこん》を申しこまれそうになったらしいわよ」ルーシーはふりかえり、背後の壁にかかった小さな肖像画を指さした。「あいつね」

「ヘンリー八世って、王妃《おうひ》の首をはねたヤツだよな」

「もしかして、首をはねられた歴史上の人物を、ぜんぶ知ってるとか？」

「べつに、おれが歴史を作ったわけじゃない。本を読んで知ってるだけだって。で、そこにはほかになんて書いてある？」

「ジャックがページをめくってよ」ルーシーは、ジャックが日記に触《ふ》れたらどうなるか、見てみたかった。「なにか感じる？　温かい？」

「べつに、なにも。冷えきってる」

次のページには、さらに豊かな色彩《しきさい》と凝《こ》った飾《かざ》りがほどこされていた。ルーシーは、読みすすめた。


若さと女性であるために、わたくしは権力社会において無力でしたが、ある数人の友たちと知りあいました。賢《かしこ》くて、博識な友たちと……。そして、知識とは身につけた者に力をあたえてくれる唯一《ゆいいつ》のものだと、悟《さと》ったのです。おかげで、わたくしは若く、かつ女性であるという弱い立場にかかわらず、もはやそのことに左右されなくなったのです。


「なんの話か、わかるか？」ジャックは、まごついていた。

「よくわかんない。もう一度、読んでみないと」ルーシーは、ちゃんと理解したかどうかたしかめるために、何度か読みかえした。なぞなぞは何度も読みかえして、ちゃんと理解しなければ解けないと父親に教わっていたし、この日記はなぞなぞのように思えたのだ。単語のひとつひとつを理解しているかどうか確認しながら、一文ずつ分析《ぶんせき》していった。

「クリスティナが自分の人生について書いているのは、まちがいないわよね」

「クリスティナは十六歳《さい》……ソフィーより二歳年上なだけか」ジャックも、けんめいに理解しようとしている。「でも、この〝友たち〟っていうのは、なんだろう？」

「その人たちから、なにか教わったみたいね。先を読んでみない？」

ジャックが次のページをめくり、ふたりで読みすすめた。すっと理解できる文章もあるが、かなりむずかしい文章もある。日記は厚みがあったが、大半は飾《かざ》りで、各ページに文章は数行しかない。文章だけ集めたら、十ページほどで終わってしまうだろう。

ルーシーとジャックは、クリスティナがデンマーク出身で、幼《おさな》くしてイタリアのミラノ公《こう》爵《しゃく》と結婚《けっこん》したことを知った。だがクリスティナは一度として夫と暮らさないまま、十三歳で夫を亡くした。まだ子どもなのに結婚なんて！　ルーシーには、とても信じられなかった。その後、新たなる妻をさがしていたイングランド王ヘンリー八世が、クリスティナを妻に迎《むか》えようとした。けれどクリスティナは、ヘンリー八世との結婚を望まなかった。ジャックの記憶《きおく》どおり、ヘンリー八世はすでに王妃《おうひ》のひとりの首をはねていたからだ。

「ソフィーがあの若さで結婚させられるのと、同じだな！」

「あのころは、それがふつうだったんじゃない。だからクリスティナは、自分が若くて無力だって書いたのよ」

ふたりはさらに読みすすめ、クリスティナが〝錬金術《れんきんじゅつ》と呪術《じゅじゅつ》に長《た》けた友たち〟と知りあうくだりにさしかかった。クリスティナは、その友たちを通じて、〝自分を自由にしてくれる力について理解するようになった〟とある。

「なんで、もっとわかりやすく書いてくれなかったかな？」ジャックが不満をもらした。

「そもそも、なんで英語なの？　デンマークって、何語を話してるんだっけ？」

「デンマーク語かな？　錬金術と呪術っていうのは、魔法《まほう》のことか？」

「うん、たぶん。残りのページも見てみようよ」

残りの数ページには、魔法の鍵《かぎ》や日記の表紙と同じ模様《もよう》が、余白にびっしりと書きこまれていた。複雑な言葉を理解するのにかなり苦労《くろう》したが、残り数ページでだいたいのことはわかった。

ひとつだけ、目立っているフレーズがあった。ほかの行より大きな文字で書かれていて、文章そのものはシンプルだ。

わたくしの鍵《かぎ》が、その鍵なのです。

その下には、この日記にとって最後となる数行がつづいていた。

金と銀を呪術《じゅじゅつ》でまぜあわせることで、魔術《まじゅつ》を使えるわが友たちは、呪文と、魔力と、現実に存在する幻想《げんそう》の世界を作りだしてくれました。

この願いをかなえるものを持っている女性は——そう、女性だけなのです——わたくしが知ったこの力と同じ力を知ることになるでしょう。そう、そばにいながら、目につかなくなる力を。

わたくしの言葉に耳をかたむけてください。

自由であるために。

「スッゲー!」ジャックが叫《さけ》んだ。「これって、つまり、そういうこと?」

「〝魔術を使える友たち〟というのは、魔術師のことよね、きっと。魔法の鍵は〝願いをかなえるもの〟なのよね」

「ゾクゾクするな」

「これ、本当だわ。あたし、初めてちぢむ前は、ミニチュアルームに入れたらなあって真剣に思ってたから。あたしの願いと実際に起きたことが関係してるなんて、考えもしなかったけど。そのあとは、ジャックも小さくなればいいのにって思った。一晩中廊下《ろうか》で待たせるなんて、すごく悪い気がしたし」

「そいつは、どうも。鍵を持ってるときは、願いごとはくれぐれも慎重《しんちょう》にな！」

ふたりは日記の意味を理解するまで、最後の数行をくりかえし読んだ。

「つまり、この魔法は、小さくなることだけを指《さ》してるんだと思う。〝そばにいながら、目につかなくなる〟っていうのは、ほぼ姿を消せるけど、完全には消えないってことじゃない？それが、クリスティナの願いだったのよ。といっても、願いごとがすべてかなうわけじゃないと思うけど」ルーシーは、そう結論づけた。「だって、いくらゴキブリを消したくても、消せなかったし」

「ふんふん、なるほど。あるいは、その願いをかなえるには、ゴキブリの足をにぎらなきゃだめだったとか。ゲゲッ！」

「なんであたしだけ魔法を使えて、ジャックがだめだったのかは、〝女性だけ〟だからよね。

魔術師《まじゅつし》たちは、女の子だけに使える魔法にしたのよ」ルーシーはさらに少し考えて、つけくわえた。「最後の一行は、どういう意味だと思う？〝自由であるために〟っていうのは？」

「なんだろうな。でも、もしおれがあの当時の女の子で、あんなクソじじいとばかり結婚《けっこん》させられたら……」ジャックが、ヘンリー八世の肖像画《しょうぞうが》のほうへあごをしゃくった。「たまには消えてしまいたい、って思うかも。なあ？」

「ホント、そうだよね」ジャックのこういうところが、ルーシーは本当にすごいと思っている。どんなときでも、相手の立場に立って物事を見られるのだ。「この鍵《かぎ》は、五百年前のもの……魔法か、呪術《じゅじゅつ》か、錬金術《れんきんじゅつ》か知らないけど、それも五百年前のものってことね」ルーシーはすべてを理解しようとしながら、壁《かべ》にかかったクリスティナの肖像画を見あげて、つづけた。「もっといろいろ教えてくれればいいのに。どうやって魔法を作ったのかとか、ほかにも決まりはあるのかとか」

「それは、自分たちでためしながら、たしかめるしかないんじゃないか。それよりさ……」

「ん？　なに、ジャック？」

「いま、クリスティナの日記の前で、ルーシーが鍵をにぎったら、どうなるのかな。ルーシーのポケットの中で鍵が熱をおびたのは、理由があるはずだろ」

「この部屋は、ほかとは確実にちがうってことだけは、たしかなんだけどね。鍵に触《ふ》れるのは、ちょっとこわいな」それでも、ジャックに説得されて触れることになるのは、わかっていた。

「うん、でもさ、マズいことが起きはじめたら、鍵を手放せばいいだろ。大きくなったり……逆に、もっと小さくなったりしたらさ」ジャックが、にやりとしながらつけくわえる。

「わかった。じゃあ、鍵を貸して」ルーシーは、クリスティナが、〝魔術を使える友たち〟に悪いものや害のあるものを作らせはしなかった、と感じていた。うまく説明できないが、頭上の壁にかかった肖像画の顔を信じていた。

「はい、これ」ジャックが、ルーシーに鍵をさしだした。ルーシーが手をひらき、そこにジャックが鍵を落とす。

すぐさま鍵が、手のひらの中で熱をおびた。でも、熱すぎてさわれないほどではない。つづいて、鍵が輝《かがや》きはじめた。オレンジ色と黄色に、かすかに銀色がまざった、それはみごとな色合いの光だ。けれど、ルーシー自身がちぢんだり大きくなったりする気配はない。

「いまのところは、問題ないよな？」と、ジャック。

ルーシーはうなずいた。しゃべりたくない。じつをいうと、異変が起こりつつあったのだ。かすかに、なにかが聞こえてきた。光を発してきらめく鍵をにぎって立つルーシーには、それがなにかわかった。声だ。「ねえ、聞こえる？」ジャックにはたぶん聞こえないとわかっていたが、たずねてみた。

「なにが？　なにも聞こえないぞ」

「待って……シーッ」くちびるに指を一本立てた。声が、だんだん大きくなる。

そのとき、ふたりの目の前で、あることが起こった。最後のページがひらいていた日記が、なんとひとりでに最初のページにもどったのだ。

ルーシーには、ひとりの少女の声が、はっきりと聞こえた。読者のみなさんへ、という声が。

「クリスティナだ！　クリスティナの声！　日記を読んでる声がする！」

「やっぱりな！　とほうもないことが起こると思ったんだ！」

まちがいない。ミラノの公爵《こうしゃく》夫人のクリスティナが、ルーシーに日記を読んでいる。若き公爵夫人が、母語の訛《なま》りのある言葉で、自分の日記の書かれた言葉をしゃべっている！

ルーシーは、ときどき肖像画《しょうぞうが》のほうへ顔をあげながら、文字をたどっていった。声を聞いていると、肖像画が生きているように思えてくる。クリスティナの声は、すてきだった。ソフィーと会ったときのことを――同じ時代に生きていれば、友だちになれたかもしれないと感じたことを――思いだす。最後の数行にさしかかると、クリスティナの声が熱をおびた。あまりにも切々《せつせつ》と訴《うった》えかけてくるので、頭の先からつま先までふるえが走り、立ったまま動けなくなったほどだ。

わたくしの言葉に耳をかたむけてください。
自由であるために。

そして、静かになった。声がやんだ。クリスティナは、書かれてあることしかいわなかった。と——まるで目に見えない巻きもどしボタンが押《お》されたかのように、ページがまたひとりでにもとにもどった。

ジャックは、じっと成り行きを見まもっている。
「すごい！」ルーシーは、ジャックに鍵《かぎ》をもどしながらいった。「ものすごくリアルな声だった。あたしのすぐ後ろに立って、肩《かた》ごしに読んでるみたい。すごく若い声。うちのお姉ちゃんよりも若かった」

ジャックが本をとじた。「ソーン夫人は、どうやってこれを手に入れたんだろう？」
さらになにかいおうとしたジャックを、ルーシーはくちびるに指をあてて止めた。「シーッ！

また、なにか聞こえる」早口でいう。

ジャックは少しのあいだ耳をすまし、外の廊下《ろうか》へと向かいながらいった。「おれにも聞こえるぞ。魔法《まほう》じゃない。ルーシーのケータイだ！」

「うわっ！」ルーシーはとんだ邪魔《じゃま》にうんざりして、天をあおいだ。でも、早く電話に出たほうがいいのはわかっていた。「そうだ、お姉ちゃんに連絡《れんらく》することになってたんだった。思ったより時間がたってるのね。急がなくちゃ。ジャックの家に電話されたら、大変！」

部屋を飛びだした。下枠《したわく》に携帯《けいたい》を残しておいたのは、運が良かった。フルサイズのままの携帯電話に近づくと、鳴りながら振動《しんどう》しているのがはっきりと見えた。ルーシーのシングルベッドとほぼ同じ大きさだ。ディスプレイに、電話番号がでかでかと表示されている。かけてきたのは、やはり姉のクレアだった。ボタンは、軽く枕《まくら》のサイズはある。緑色の通話ボタンを両手でぐっと押《お》し、マイクの穴に口を近づけた。

「ものすごく聞こえにくいんだけど」と、姉のクレア。「めちゃくちゃヘンな声ね」

「そう？　こっちは、ちゃんと聞こえてるけど」

「ママとパパが、さっきようすをたしかめにかけてきたの。そっちは、問題ない？」クレアが、それほど気にしていなさそうな声でたずねた。

「うん。オッケーよ」返事は短いに越したことはない。「テストは？　どうだった？」

「まあまあかな。わかんないけど。とにかく、終わって良かったわ」

「お姉ちゃんなら、だいじょうぶよ」姉にほかに用件はなさそうだ。「またなにかあったら、ケータイに電話してね」

「わかった」

「明日の朝、電話するね」

「うん。でも、早い時間はよしてよね。思いきり寝坊《ねぼう》するから」

じゃあね、と話をきりあげ、ルーシーは終了ボタンに全体重をかけた。頭がくらくらする。三分前には、とうに世を去った十代の公爵《こうしゃく》夫人の声を聞いていたのに、次の瞬間《しゅんかん》にはお姉ちゃんの声を携帯で聞いているなんて！

とつぜん、現実にひきもどされた。ルーシーは家族のゆるしも得ず、家族の知らない場所で一晩すごすために、ウソをついたのだ。ミニチュアルームの中に入りこんでいるあいだは考えもしなかった。それだけ、冒険《ぼうけん》は魅力的《みりょくてき》だった。けれど暗い廊下の下枠に立ち、自分とジャックはだれにも知られることなくここで一晩すごすのかと思うと、少し心細いし、後ろめたい。なんといってもルーシーは、ただの女の子。してはいけないことをしている、ただの都会の女の子なのだ。

三百六十度の広大な空間。一瞬《いっしゅん》、現実と、この冒険《ぼうけん》とのへだたりについて考えた。現代の自分と、過去のクリスティナ公爵《こうしゃく》夫人以上に、はなれているような――。

けれど、なぜかいまは、それほどへだたりは感じなかった。若きクリスティナが魔法《まほう》を探しもとめた時代からの五百年は、存在すらしなかったような気がする。

少なくとも、Ｅ１の部屋では。

12

粘着テープの使い方

ルーシーがＥ１にもどったら、ジャックが上から下まで鎧兜《よろいかぶと》に身をつつみ、ひっくりかえらずに立ったり座《すわ》ったりする練習をしていた。かなり苦戦《くせん》している。一分ほどながめていたら、ジャックがルーシーに気づいた。ほかの人ならまごつくだろうが、ジャックは平気だ。

「ふう、けっこうキツいな。こんなかっこうで、どうやってまともに戦えたんだろう？」

「不利な条件は、どの騎士《きし》も同じじゃない」

「それもそうだ。で、だれからの電話だった？　問題はない？」

「お姉ちゃんが、ようすを見にかけてきただけ。ジャックの家じゃなくて、あたしのケータイに電話するようにいっといて、よかった」

「おれの家にかけられたら、エラいことになる」ジャックが、何度あけてもピシャリとしまってしまうひさしの下から、くぐもった声でいった。エラいこと、が、エリャいこと、と聞こえる。「こいつを脱《ぬ》ぐのを、手伝ってくれ」

まだ疑問が山ほど残っていたが、魔法《まほう》の源がわかったので、ふたりともひとまず満足していた。そろそろ、探検タイムだ。もしかしたらほかの部屋に、重大な謎《なぞ》や魔法があるかもしれない。ジャックが鎧兜《よろいかぶと》をもとにもどしているあいだ——ばらばらにするより、もとどおりに組みあわせるほうが大変なので、しばらくかかった——ルーシーは、さっきながめたときに見おとしたものはないかと、部屋の中をじっくりと見てまわった。部屋の反対側に行き、飾《かざ》り戸棚《とだな》をあけてみた。からっぽだ。部屋の奥の木製スクリーンの裏《うら》に目をこらし、生き物の気配はしないかと、窓の外の景色を見つめた。やけにリアルな景色だが、窓がしまっているため、そよ風を感じたり、外の音を聞いたりはできない。この部屋から外へ出るドアらしきものは、見あたらない。

ふたたび戸棚にもどった。なんとなく気になる。戸棚の中は暗かったが、目が慣れてくるにつれて、さっきは見えなかったが、なにかが隅《すみ》に押《お》しこまれているのがわかった。金属製のマグ？　よく見ようと取りだし、底にマークがないかとひっくりかえした（骨董品《こっとうひん》をあつかうときはそうするのだ、とミセス・マクビティーが教えてくれた）。すると、プラスチック製のピンクのヘアクリップがひとつ、マグから石の床《ゆか》にこぼれおちた。

プラスチックが床《ゆか》に当たる音がしたとたん、ジャックがルーシーのほうを見た。

「ソーン夫人がこれをこの部屋に入れるわけがない！」ルーシーは、ヘアクリップをひろいあげながら叫《さけ》んだ。

「ますます、おかしくなってきたな。それって、女の子が使うヤツ？」

「うん。エンピツといっしょ。ここにあるはずのないモノよ」ルーシーは、またマグの底をのぞきこんだ。「このマグも、この部屋にはふさわしくない。底のマークは、イギリスのマークじゃないもん」

「ん？　どういうこと？」

「あのね、ミセス・マクビティーから前に教わったの。骨董品の銀器には底に特別なマークがあって、だれが作ったか、どの国のものか、わかるようになってるって。イギリス製品には、底にかならずライオンのマークがついてるんだって。ここは、まちがいなく、イギリスの部屋よね」

「うん。きっと、だれかがまちがえたんだな。ミニチュアルームを掃除《そうじ》していて、そのマグを取りだしたあと、どこにもどすかわからなくなったとか」

「じゃあ、ヘアクリップは？」

ジャックは、言葉につまった。「それは……わからない。説明がつかないよな」

ルーシーは、マグから目をそらせなかった。このマグには、見おぼえがある。「あっ、どこのマグか、わかった！」ひらめいた瞬間《しゅんかん》、叫《さけ》んでいた。

「どこだ？」

「アメリカの部屋！　カタログで確認してもいいけど、まちがいない。見に行かなくちゃ。このへアクリップがなぜこの部屋に行きついたのか、手がかりをつかめるかも」

ルーシーは、心底わくわくしてきた。このマグがあったのは、ぜったいあそこだ！　部屋を飛びだそうとして、ふと足を止めてふりかえり、展示室に面したガラスに歩みよった。「あーあ」

ルーシーの声に、ジャックもふりかえり、ルーシーの目線をたどった。

ソーン・ミニチュアルームが展示してある11番ギャラリーでは、いまルーシーたちがいるヨーロッパのミニチュアルームコーナーは、裏側《うらがわ》にある廊下《ろうか》とともに、外壁《がいへき》に沿ってならんでいる。アメリカのミニチュアルームコーナーは展示室の中央に位置し、こちらも各ルームの裏側に保守点検用の廊下がある。ただし、ヨーロッパコーナーの廊下とアメリカコーナーの廊下は、つながっていない。

アメリカコーナーにも、ルーシーのお気に入りの部屋がいくつかあった。子ども用の小さなおもちゃが床《ゆか》にいくつか転がっている、初期のキッチン。ニューヨーク市の部屋。独立戦争時代や南北戦争時代の部屋。カウボーイが似あいそうな西部開拓《かいたく》時代の部屋もそうだ。

「おれも、さっきからそれが気になってたんだ。今回も、あっちのドアの下を通りぬけるしかなさそうだな」

「ミニサイズになって、展示室をつっきるわけね。こっちの廊下に移動したとき、センサーは鳴らなかったよね？」

「うん。ただし、いったん向こうに着いたら、ルーシーはまたバンジージャンプを逆《さか》さにやることになるぞ」ジャックが、眉《まゆ》をつりあげてルーシーを見た。「階段を作る材料が見つかって、ふたりともミニチュアルームに入れるならば、別だけど」

「えーっ」またあれをやるのかと思うと、ルーシーはぞっとした。「とりあえず向こうの廊下に入りこんで、なにがあるか見てみない？」むちうちになりそうなあのジャンプは、どうしても避《さ》けたい。

「よし。そうしよう」ジャックが、Ｅ１の部屋を出た。

ルーシーは、最後にもう一度、クリスティナの部屋を――ルーシーにとってＥ１は、〝クリスティナの部屋〟となっていた――じっくりと見まわした。そして外の下枠《したわく》にもどり、マグとヘアクリップをスウェットパーカーの深いポケットに入れた。おりるには、ジャンプするしかない。自分にできるなら、ジャックにもできるはず。ジャックはためらうことなく、ルーシーの手をつかんだ。ルーシーは、クリスティナの魔法《まほう》の鍵《かぎ》を床《ゆか》に放りなげた。

「ケータイを忘《わす》れるなよ」

もとのサイズにもどったとたん、ジャックにそう注意され、ルーシーは携帯《けいたい》をポケットにしまった。ジャックがナイロンのひもをつかみ、床から鍵をひろう。

出口のドアのところで、ふたりはまた十三センチにちぢみ、平たくなって青と褐色《かっしょく》のまだら模様《もよう》のカーペットにもぐりこみ、ふたたび外の壁《かべ》のくぼみへと抜けだした。

今回はめざすドアへ直行はせず、右を向き、目の前の広大な空間をながめた。暗い展示室。たよりの明かりは、非常口のほのかな赤い光と、はるか頭上のミニチュアルームの淡《あわ》い照明のみ。

「ゲッ！　メチャクチャ、広いな！」と、ジャック。

「おたがい、近づきすぎないようにして走ったほうがいいんじゃない？」ルーシーは、ジャックのすぐとなりにいたかったが、そう提案した。「そのほうが、センサーに引っかかりにくいんじゃない？」

「なるほど。じゃあ、行くか？」

「うん。先に行って」

わざわざいわなくてもよかった。ジャックはすでにループ状のカーペットを、はねるようにしてつき進んでいた。ルーシーは、じゅうぶん距離《きょり》をあけて、ついていった。目的地までは四メートル半ほどだが、ふたりにはフットボールの競技場のように感じられた。

ジャックがめざすドアにたどりつき、すきまに転がりこもうと、床につっぷした。だが、進まない。ルーシーもジャックのすぐあとにたどりつき、ジャックが動かないわけがわかった。ドアとカーペットのあいだに、すきまがないのだ。

ジャックが、すきまに片足を押《お》しこもうとした。「だめだ。せますぎる！」

「ほんとに？」ルーシーはドアに沿って少し移動しながら、ほかのすきまをさがした。しかし、つま先すら入らない。「んもう、まったく！」

「まったくだよな。ドアの下にはさまっちまうのは、ヤバいし！　もどったほうがいいな」

ジャックのいうとおり、このドアの下から奥の廊下《ろうか》にもぐりこむのは無理だった。先にジャックが、さっきよりも少しペースを落として、がらんとした暗い空間を引きかえした。あとにルーシーがつづく。

「なんで、ここみたいに楽にもぐれないの？」ルーシーは、ヨーロッパコーナーのドアの下を通りぬけながらいった。奥にすべりこむと、ふたりとも長く走ったせいで息がきれた。広大な廊下《ろうか》をながめながら、立ったままドアによりかかった。ふたりが直面している問題が、ふたりのまわりの空間と同じくらい、大きく感じられる。

「うーん……どうするかなあ」ジャックは、廊下のはるか奥の天井《てんじょう》を見あげていた。「うん、ひょっとしたら、うまくいくかも」いたって能天気な声だ。「また、もとのサイズにもどらなきゃダメだな」と、カタログの階段のほうへ歩きだす。

「なんで？　なにを探してるの？」

「たしか、通風孔《こう》を見たおぼえが……。暖房《だんぼう》とエアコン用の通風孔。気づいてはいたんだけどさ。ダクトが天井の梁《はり》を通りぬけて、アメリカコーナーまで伸びてるはず。というか、伸びていてくれてるといいんだけど。のぼれれば、天井裏《うら》を這《は》って、アメリカコーナーに出られるかも」

ルーシーは半信半疑だったが、ほかにいい案がないので、何もいわないでおいた。「じゃあ、もとのサイズにもどる？」

ジャックがうなずき、片手をさしだす。

ルーシーが鍵《かぎ》を床《ゆか》に放り、ふたりとももとのサイズにもどって、カタログの階段へと移動した。ジャックが天井を見あげているあいだ、ルーシーは階段のてっぺんにあったカタログをひらき、ぺらぺらとめくりはじめた。「ねえ、ジャック、どんな気分？」

「ふつうだけど。なんで？」

「よくわかんないんだけど……これだけちぢんだり、大きくなったりしたら、体が痛くなったり、体調がおかしくなったりするのかなって思って。でも、とくにヘンな感じはしてないよ。最初のときは、筋肉がちょっと痛かったけど」

「ああ、それはおれもだ。ものすごくいい魔法《まほう》ってことだな」魔法の専門家みたいな口ぶりだ。

「ねえ、見て」ルーシーはカタログの中のあるものを指さし、Ｅ１で見つけたマグとそっくりのマグがある部屋の写真を見せた。「きっとここのマグなのよ。Ａ１の部屋の。こうなったからには、なにがなんでも、あっちに行かなくちゃ！」ルーシーがカタログを見る。

と同時に、ジャックは顔をあげ、エアダクトにつながる穴をしげしげとながめた。縦《たて》二十五センチ、横六十センチほどの穴だが、高くて手が届かない。「うーん、やっぱりな」ジャックが、通風孔の問題について悩みながらいった。「たとえ手が届くとしても、おれたちがフルサイズじゃ通りぬけられない。おれがなにかの上に立って、ミニサイズになったルーシーを屋根裏に乗せることはできるけど……あっち側で、ルーシーはどうやっておりればいいんだ？」

ルーシーも、その線に沿って考えはじめた。「前にやったみたいに、ジャンプしながら大きくなれるわ。かなり高さがあるけど、問題ないと思う。でも、ジャックはどうするの？　フルサイズのまま、またここで立ち往生《おうじょう》することになるわよ」ジャック抜きで探検するつもりはない。

「ほかにいい案はないか？」

「こんなに高い階段を作れるだけのカタログは、もう、ないわね」ルーシーはざっと見つもってから、「でも、ひょっとしたら……」と、カタログの箱を見つけた場所へ走っていき、ほかに使えそうなものをチェックした。カタログの箱がもう一箱。ほうきと、モップと、大きいバケツがひとつずつ。掃除《そうじ》用具が数点。そして、粘着《ねんちゃく》テープが一巻き。

ルーシーは少し考えてから、粘着テープとバケツをつかみ、満足げにジャックのもとへ急いでもどった。「これで、きっとうまくいくわ」と、テープとバケツを持ちあげる。

「ええっと、よくわかんないんだけど。なんで？」

「まあ、見てなさいって」ルーシーは床《ゆか》にバケツを逆《さか》さまに置いて、その上に立った。つま先で立てば、通風孔《こう》になんとか手が届く。ジャックが見まもるなか、ルーシーは粘着テープを使って、壁《かべ》をクライミングするルートを作った。床から通風孔まで、壁に粘着テープを三本貼《は》り、真ん中の一本は粘着面を外側にし、残り二本でその一本を固定したのだ。ふりかえったルーシーは、顔を輝《かがや》かせていた。「ウォールクライミングの準備は、オッケー？」

「スゲー！　おれたちが体重をかけても、はがれないかな？」

「だといいけど……ベトベトしすぎてて、全然動けなかったりして」といいつつ、ルーシーはこの発明がうまくいく自信があった。「反対側の通風孔にたどりついたら、ジャンプしてもとの大きさにもどればいい。同じ方法でもどってこれるよう、バケツと粘着テープはいっしょにちぢめないとね。じゃないと、身動きが取れなくなっちゃう」

「よーし、やってみるか！」

ジャックが右手でバケツと粘着テープを、左手でルーシーの手をつかみ、ルーシーの手のひらに魔法《まほう》の鍵《かぎ》を落とした。すぐさまふたりとも、またミニサイズになった。

先にジャックがのぼった。こつをつかむのに、少しかかった。片方の腕《うで》にバケツを通したまま、のぼらなければならないのは、けっこうキツい。バケツが、しょっちゅうテープに貼りついてしまう。バケツを高く、肩《かた》のあたりにかけたままならうまくいくことを、ジャックは発見した。二本の手と二本の足のうち、つねに三本はテープにくっつけておくのも、重要なポイントだ。右手、左手、右足、左足、というように、きちんと順序だてて、ひとつずつ動かして進まなければならない。

「サイコーだ！　おれ、スパイダーマンになった気がする！」ジャックが、下にいるルーシーにほほえみかけた。「むずかしくないぞ！」

ジャックがあるていど進んだ時点で、ルーシーも出発した。いままでに経験したことのない感覚だ。去年、年末の遠足で、クラスでロッククライミングに出かけたことはある。けれどあのときはロープと滑車《かっしゃ》を装着していたし、あちこちにつかむところがあった。いまは、命綱《いのちづな》もない。全体重をささえられるくらいベタつくテープの表面に、両方の手のひらと足をしっかりと貼《は》りつける。手をテープからはがすと、巨大《きょだい》なステッカーの裏面《うらめん》を引きはがすような音がする。

「うわっ！」

とつぜん、ジャックが叫《さけ》んだ。ルーシーは顔をあげ、ジャックが一時的にコントロール不能におちいったのに気づいた。またバケツがテープに貼りつき、それをはがすのに少し力を入れすぎた。はずみで片足がテープからはがれ、気がついたら片手片足だけでぶらさがっていたのだ。バケツを落とさないように、かつ自分が完全にはがれてしまわないようにと、もがいている。

「気をつけて、ジャック！」

ジャックがようやくバランスを取りなおし、片足をまたテープに貼りつけた。

ほどなく十三センチのルーシーとジャックは、てっぺんへと進んでいく一対の四本脚《あし》のクモのように、壁《かべ》をのぼっていた。ミニサイズの体重は軽すぎて、テープが引っぱられることはまずない。

いちばんの難関は、下枠《したわく》の手前の方向転換《てんかん》だ。下枠を超えるまでは、逆《さか》さまになった気分で、急角度に曲がらなければならない。それでもテープの粘着《ねんちゃく》面は、ふたりをしっかりつなぎとめてくれた。

ルーシーはてっぺんに近づきながら、ぜったい下は見ないほうがいい、としみじみ思った。この高さ。周囲にはてしなく広がる空間。じょうだん抜きで、目がまわる。胃をしめつけられる。気力と精神力をふりしぼって、パニックにおちいらないようにした。

てっぺんまでたどりつくと、ルーシーは山に登頂した気分で、エアダクトの床《ゆか》に座《すわ》りこんだ。ふたりの目の前には、闇《やみ》にしずんだ水平な空間がどこまでも伸びている。闇も闇、真っ暗闇だ。

「センパー・パタラス！」ジャックがカーゴパンツのあちこちにあるポケットのひとつから懐《かい》中電灯《ちゅうでんとう》を取りだし、絶叫《ぜっきょう》した。

「えっ、なに？」

「つねに備えよ、っていう意味じゃないかな。ラテン語なんだ」

「そんなこと、なんで知ってるの？」ルーシーは、ジャックの語彙力《ごいりょく》はもちろん、懐中電灯を持ってきたことに、心底驚《おどろ》いていた。

「なんで知ってるのかは、知らないんだな、これが」ジャックには、明らかにどうでもいいことだった。すでに懐中電灯《かいちゅうでんとう》の細いが心強い光線をたよりに、真っ暗闇《くらやみ》に飛びこんでいる。「さあ、行くぞ！」

ルーシーはまたしても、ジャックがいてくれてよかった、と思っていた。勇気など、どこかへ吹《ふ》っ飛んでしまっていた。展示室の上だとわかってはいても、底なしに深いトンネルに入っていくような気分だ。けれど、ジャックが先導してくれる。ジャックにぴったりとくっついて進むうち、ようやく行く手にかすかな光がちらっと見えた。向こうのミニチュアルームから漏《も》れてくる、なじみのあるあの光だ。

「もうすぐね」ルーシーがそういった瞬間《しゅんかん》、まだ着いていなくてよかった、と胸をなでおろすようなことが起きた。低く重々しい音が一回とどろき、背後から温風が盛大に吹きつけてきて、ふたりともつんのめったのだ。

「だ、だいじょうぶか？」ジャックがよつんばいになり、バケツをちゃんと持っているか確認しながら、たずねた。

「う、うん。ああ、ビックリした」ルーシーは、目にかかった髪《かみ》をはらいのけながらこたえた。「通風孔《こう》にたどりついてなくて良かった。吹き飛ばされてたかもしれないもん。もどるときは、おぼえとかないとね」

「たしかに。でも、ここから先は無事に這《は》って行ける気がする。どうかな？」

「いいんじゃない？　行こう」

三メートルにも感じられた、通風孔までの最後の三十センチを、強い温風に吹かれながらなんとか進み、じきにふたりはよつんばいになって、ダクトの先端《せんたん》から、下の渓谷《けいこく》のような廊下《ろうか》をのぞきこんでいた。

「大ジャンプになりそうだな……本当に、おれたちにできるかな？」

「いい、あたしたちの腕《うで》を、粘着《ねんちゃく》テープで結びつけるの」ルーシーはとつぜん、今回のジャンプが予想以上に長く、はるかに危険なように思えてきた。「なにかのひょうしにとちゅうで手がはなれたら、マズいでしょ。着地する前に、完全にもとの大きさにもどっておかないと」

「そうだよな、うん。じゃあ、腕を貸してくれ」

ジャックがバケツから粘着テープを取りだし、自分とルーシーの腕をしっかりと結びつけた。

そのあいだもずっと、暖房《だんぼう》装置の温風が吹きつけてくる。

「じゃあ、いい？」ルーシーがたずね、「ああ、いい」ジャックがこたえた。

ルーシーはポケットに手をつっこんで鍵《かぎ》をにぎり、ダクトの端《はし》から片足をつきだして、ジャックを引っぱりながら、もう片方の足で床《ゆか》を蹴《け》り、同時に鍵《かぎ》を手放した。以前にくらべ、今回のジャンプはどのていどなのか、ルーシーはあまり心の準備をしていなかった。距離《きょり》にして、これまでの下枠《したわく》からのジャンプの二倍になる。フルサイズで着地したふたりは、ドスンと派手《はで》に音を立ててたおれこんだ。

「痛っ！」ルーシーが叫《さけ》んだ。「痛い！」

「だよな！　だいじょうぶか？」ジャックがころがろうとするが、テープでルーシーと腕《うで》をつながれているので、うまくころがれない。

「うん、たぶん。ぜったい、アザになるけど。とにかく、テープをはがそう」ルーシーは、粘《ねん》着《ちゃく》テープの端《はし》を引きはがしながらいった。

ふたりは、廊下《ろうか》を見まわした。ヨーロッパコーナーの廊下と同じつくりで、小さな下枠がすべてのミニチュアルームをつないでいる。明かりは、ミニチュアルームから漏《も》れてくる照明だけだ。

「じゃあ、始めようか」というルーシーの言葉に、ジャックが粘着テープを取りだした。床から下枠を通過して通風孔《こう》までつづく、さっきと同じようなクライミング用ルートを、ふたりで作った。

さあ、これで探検に取りかかれる。ルーシーは魔法《まほう》の手順にすっかり慣れたようすで、鍵とジャックの腕をつかんで小さくなった。

今回のクライミングは、さっきよりは楽だった。下枠までのぼればいいのだ。ミニサイズのバケツと粘着テープは、あとで持ち帰るために、下枠に置いた。

「A1の部屋に行かなくちゃ。さっきのマグは、ぜったいA1のものだもん」

「オッケー。で、どんな部屋なんだ？」

「カタログによると、十七世紀のマサチューセッツ州のキッチンだって」A1に到着《とうちゃく》するまで部屋番号をかぞえながら、ふたりで下枠を歩いていった。「暖炉《だんろ》の上に、メイフラワー号の模《も》型《けい》があるはずよ」

ルーシーの記憶《きおく》は正しかった。A1の入り口を見つけて入ったら、メインルームの手前の、こじんまりとした部屋に出た。かなり低くてせまいベッドがふたつと、メインルームのキッチンに通じるドアがある。キッチンは、ヨーロッパコーナーの部屋ほどぜいたくではないが、居心地がいい。床も壁《かべ》も天井《てんじょう》も家具も、すべて木製だ。部屋全体を暖められそうなくらい大きな暖炉の前には、背もたれがかなり高いイスが一脚《きゃく》。炉棚《ろだな》と炉のまわりには鉄製のやかんとフライパンが吊《つ》るしてあり、暖炉の右側の小さなイスの上には小さな人形が座《すわ》っている。

ルーシーは食器棚《だな》に走りより、ポケットから例のマグを取りだした。まちがいなく、食器棚のマグとそっくりだ。底のマークを確認したら、マークも同じだった。「ジャック、やっぱり、このセットのマグよ!」棚のフックがひとつあいているのに気づき、そこに持ってきたマグを吊《つ》るした。

「やるな」ジャックは、ルーシーの発見と、ふと目をとめたあるものの両方に対して、そういった。あるものとは、美しい船の模型《もけい》だ。ルーシーが部屋を見てまわるあいだ、ジャックはその模型を炉棚《ろだな》からおろし、念入りに調べた。

ルーシーは、この時代にふさわしくないものがないか、またヘアクリップが出てきたりしないかと、ひきだしや家具の裏《うら》をかたっぱしからのぞいた。なにもないとわかると、窓の外の町なみをながめた。舗装《ほそう》されていない通りに、家らしき木製の建物がぽつぽつとある。静かで、のどかな場所らしい。

背もたれの高いイスのすぐ裏に、もうひとつドアがあった。その先はせまい通路で、ドアのそばのフックに服がかけてあった。大人用のマントが二枚、少年用と少女用のマントが一枚ずつ、よちよち歩きの幼《おさな》い子ども用の上着が一枚。ぼうしと靴下《くつした》と靴もある。二部屋しかないのに、この家はなんと五人家族だ。うちのせまいマンションも、そう悪くはないってことか。ルーシーは、そんな気がしてきた。

ポケットにヘアクリップが入ったままなのを思いだし、マントのポケットをすばやく調べたが、なにもなかった。

「ちょっと、ジャック！　見て」ルーシーは、ジャックに声をかけた。「服よ！」

「やった！」ジャックが船の模型をもどしながらいった。「よーし、外の世界を探検するか？」

「うん、探検しよう。言葉が通じる世界だし」

いまの服装にマントをはおるだけでいい、とふたりは判断した。青みがかった灰色と茶色と黒という暗い色の、軽い生地でできたマントだ。飾《かざ》りといえるのは、大きな白い襟《えり》のみ。ジャックは植民地開拓者《かいたくしゃ》風のぼうしを、ルーシーはボンネットをかぶった。ジャックは、丈《たけ》がふくらはぎまでしかないマントからズボンが出ないようにたくしあげ、ふたりとも靴下と靴を脱《ぬ》ぎ、ここにあるものにかえた。

「ねえ、ジャック、この服を見て、なにか思いださない？　すごく見おぼえがあるんだけど」

「そりゃそうさ！　去年の秋に、歴史でセーレムの魔女《まじょ》裁判を勉強しただろ？　この部屋は、ええっと、いつの時代だったたっけ？」

「ええっとね……十七世紀後半」ルーシーは、カタログの記述を思いだそうとした。「町の名前は、トプスウッド……ううん、トプスフィールドだったと思う」

「魔女《まじょ》裁判は一六九二年だ。おぼえてるか？　おれ、読んだおぼえがあるぞ。裁判にかけられた被告《ひこく》の中には、トプスフィールドの出身者がいたって。こういう服を、たしかに授業で見たよな」ジャックはそういって、つけくわえた。「ひょっとして、本物の魔女に会えるかも！」

「うん、そうね」ルーシーは、ジャックをちらっと見た。いかにもジャックが好《す》きそうな冒険《ぼうけん》だ。

この部屋には鏡がどこにもないので、きちんと着ているかどうか、おたがいに点検しあうしかなかった。フランスの部屋にいたときと同じく、どちらの服も体にぴったりとはいかないが、見られなくはない。

ルーシーが先頭に立ってドアの外に向かい、ふたりは十七世紀の世界へ足を踏《ふ》み入れた。

13

トマスという名の少年

太陽が輝《かがや》いている。暖かいが、暑くはない。

ふたりは、杭垣《くいがき》がめぐらされている、よく手入れされた家庭菜園の中に立っていた。背後にあるＡ１の部屋は、カシの大木にあるていどかくれている。太陽の熱で、菜園のハーブのにおいがきつい。

舗装《ほそう》された歩道はないが、菜園の門から通りまでは、きちんとととのえられた道が一本のびていた。木製の大きな道標によると、ふたりがいま立っているのは、サマー通りとエセックス通りの交差点らしい。通りすぎる人々と、わらを積んだ荷車を引く一頭の馬を見かけた。エセックス通りには、木製の建物がならんでいた。店のような建物もあれば、家らしき建物もある。どの家も、さっきまでふたりがいたような垣でかこまれた菜園が脇《わき》にある。

サマー通りの向こう側から、子どもたちの笑い声が聞こえてきた。

「ねえ、ジャック、なにをしてるのか、見に行こうよ。大人と話をしていいかどうか、まだよくわかんないし」

「うん、そうだな」

通りを進んだら別の交差点があらわれ、そこで四人の子どもが遊んでいた。男の子と女の子がふたりずつだ。四歳《さい》から八歳ぐらいか。その子どもたちが遊ぶさまを、ルーシーとジャックはしばらくながめていた。石蹴《け》りのような遊びをしているが、舗装《ほそう》された歩道にチョークで線を引くのではなく、泥道《どろみち》に木の棒《ぼう》でマスを描《か》いている。その子たちがすぐにルーシーとジャックに気づき、少しのあいだ、気まずい沈黙《ちんもく》がつづいた。子どもたちは、ふたりをうさんくさそうに見つめている。

ジャックは軽く手をふり、にこやかに、こんにちは、とあいさつした。ルーシーもほほえむ。子どもの中の三人が通りを走りだし、家庭菜園をかけぬけて、一軒の家に飛びこんだ。かたほうの女の子が、肩《かた》ごしに声をはりあげる。「トマス、早く!」

トマスと呼ばれた少年は、明らかに年長で、いちばん勇気があるような――。いや、単に好《こう》奇心《きしん》がいちばん強いだけか? いずれにせよ、トマスはその場から動かず、見知らぬふたりを見つめていた。

「やあ、トマス」ジャックが、ものすごく愛想《あいそう》のいい声でいった。「おれは、ジャック。こっちは、ルーシーだよ」

「ルースって名前なら聞いたことがあるけど、ルーシーは聞いたことない」トマスは、ふたりを品定めしながらいった。「どこから来たの?」

「シカゴから。聞いたこと、あるかな?」と、ジャック。

「ううん、ない。遠い?」トマスが、にこりともせずにたずねる。

「うん。はるか西だよ」

「先住民はいる?」

「いるさ、おおぜい!」ジャックが、目を見ひらきながらいう。

ジャックがこの少年と話をする糸口を見つけたことに、ルーシーは気づいた。

「先住民って、野蛮《やばん》?」トマスがたずねた。

「ふだんは、そんなことないよ。おたがい、うまくやろうとしてるし」

ジャックの返事に、トマスは少しがっかりした顔をした。

「きみんちって、あそこ?」ほかの三人の子どもが走っていった家を指さしながら、ジャックがたずねた。ソーン・ミニチュアルームの家と似ているが、同じではない。

「うん」

「あの子たち、あなたの弟さんと妹さん？」ようやくルーシーも会話にくわわった。

「うん。アンと、ジェーンと、ジェームズ。これからは知らない人と口をきいちゃいけない、っていわれてて。だから逃《に》げたんだ。こわいんだよ」

「こわいって、なんで？」ルーシーがたずねた。

「魔女《まじょ》のせいさ」

「でも、きみはこわくないんだよね？」これはジャックだ。

「うん、まあね」トマスが挑《いど》むようにいう。

「ねえ、あなたたちがやってたのは、なんの遊び？」ルーシーがたずねた。

「蹴《け》り石だよ。やってみる？」

「うん」ルーシーが、トマスに近づきながらこたえた。「あたしたちは、石蹴りって呼んでるけど」

「シカゴではってこと？」トマスが、さっき聞いた町の名前を正確に思いだしながらたずねた。

「うん、そうよ」

ルーシーは小さな石をひとつひろって、最初のマスに投げいれ、そのマスにジャンプした。

ジャックも同じようにする。三人で遊びながら、さっきの子どもたちが自宅の窓からこっちをながめているのが、ルーシーには見えていた。

「ねえ、トマス、なんで弟さんや妹さんはこわがってるのに、あなたは平気なの？」ルーシーは、トマスに信用されていますように、と祈《いの》りながらたずねた。

「あいつらは、まだガキだから。おれは、大人みたいなもんだから。八歳《さい》だし」トマスは、胸をはってこたえた。

「でもさ、大人だって、このあたりにはこわがっている人もいるんじゃないの？」これは、ジャックだ。

「まあね。でも、おれの知ってるかぎり、おっかないことなんて起きやしない。魔女が本当にいるのなら、おぞましいことが起きて当然だろ。でも、起きてない。だから、おれはこわくないんだ」

「へーえ、トマスって、すごく頭がいいのね」と、ルーシー。

「読み書きできるからね」トマスは、あるマスに小石を蹴りながらいった。「読み書き、できる？」

「うん。おれもルーシーもできるよ」ジャックがこたえた。また、ジャックが石を蹴る番だ。「トマスなら、シカゴでもうまくやっていけるだろうな。シカゴじゃ、だれも魔女《まじょ》なんて信じてないし」

「シカゴは、好《す》き？」トマスが、ジャンプしながらたずねた。

「うん。住みやすいよ」

「じゃあ、なんでここにいるの？」もっともな質問だ。ルーシーもジャックも、答えにつまった。

「どうしてだと思う？」ジャックが答えをひねりだそうとしながら、時間をかせいだ。

「なんで、わざわざ当てなくちゃいけないの？　すぐに答えを聞けるのに？」

手ごわい子。どうりで、こわがらないはずね。ルーシーはそう思いつつ、答えを思いついた。

「あたしたち、ボストンに向かうとちゅうなの。ジャックがボストンの学校に通うことになって、あたしもいっしょに行くことになったの」

「じゃあ、ふたりは兄妹？」

ルーシーとジャックは同時に、うん、とこたえていた。ソフィーと話をしたときと同じだ。もしほかの説明をしたら、話がややこしくなるだろう。

トマスがジャンプしている最中に、ひとりの女性がトマスの自宅から出てきた。「トマス！　いますぐ、こっちへ来なさい！」

その女性のきびしい呼びかけに、トマスはすぐに従《したが》い、女性が立っている家庭菜園の垣《かき》のそばまで走っていった。

トマスが何度かこっちを指さしながらその女性と話をするのを、ジャックとルーシーは見つめていた。

やがて、トマスがもどってきた。「家の中に入りますかって、母さんが」そして、小声でつけくわえた。「感じのいい子たちだって、いっといたよ」

家に入るなんて、そんな大胆《だいたん》なことをしていいものか？　ジャックとルーシーは、いぶかりながら顔を見あわせ、ルーシーがこたえた。「ありがとう。寄らせていただくわ」

「じゃあ、おいでよ」

門のところにいた女性は、地面に目をふせ、頭をさげて、ふたりを迎《むか》えた。「いらっしゃい。サラ・ウィルコクスです」ここで顔をあげ、ふたりを見た。

その目が息子トマスの目と同じように青いことに、ルーシーは気づいた。「ルーシー・スチュワートです。こちらは、弟のジャックです」ルーシーも、女性をまねて頭をさげながらいった。

「こんにちは」と、ジャック。

「トマスのこと、ゆるしてやってくださいね。本当に、あつかましい子で」

「そんな！　ひどいよ！」トマスが文句《もんく》をいう。

「いつも、そうやって口出しするんだから！」母親のサラは口もとをかすかにほころばせ、それをかくしながら息子をきつくたしなめると、ルーシーとジャックに向かっていった。「中にお入りになりません？」

「はい。ありがとうございます」と、ルーシー。

全員で家に入る前に、サラが用心深くあたりをうかがったことに、ルーシーは気づいた。気のせいかもしれないけれど、この人は、あたしたちといっしょにいるところを、見られたくないと思ってる？

家の中は、A1の部屋とよく似ていたが、A1よりも広かった。メインルームには、炉床《ろしょう》のある大きな暖炉《だんろ》がひとつ。ドアをあけると、メインルームよりせまい一階の部屋と、二階に通じる階段がある。お邪魔《じゃま》しているうちに、この家の子どもたちは二階のロフトで、両親は一階の部屋で眠ることがわかった。料理したり、食べたり、読んだり、書いたりといった寝《ね》る以外のことはすべて、メインルームで行われている。家具は飾《かざ》り気がなく、ほかのものと同じように木製で、とても清潔《せいけつ》だ。

母親のサラが全員にアップルジュースを注ぎながら、ふたりにイスをすすめた。

ルーシーは、三百年前のジュースはどんな味なのだろう、と興味しんしんで一口すすった。ふだん飲み慣れているジュースほど冷えてないし、あまくもない。飲みこむと、のどの奥がひりひりする。そこで、もう何口か、飲むふりをしておいた。

トマスはふたりと同じつくえにつき、弟と妹たちはだまって床《ゆか》に座《すわ》っていた。弟と妹たちの三組の視線は、ふたりの旅人からほとんど離れない。

「トマスから聞いたのだけれど、ボストンへご旅行中なんですって？」母親のサラがたずねた。

「はい、そうなんです。ジャックが、あちらの学校に通うことになったので」ルーシーがこたえる。

「主人がボストンにいるの。町のうちの店であつかう織物や品を買いつけるために。明日、もどることになっているのよ。あなたたちのご家族は、どちらに？」

「シカゴにいます」今度は、ジャックがこたえた。

「聞いたことのない土地ね」

「シカゴは、まだ新しいんです。でも、いずれ大きくなって、ものすごく有名な場所になりますよ」ジャックは、自信たっぷりにつけくわえた。

「ご両親は、あなたたちの助けがなくてもだいじょうぶなのかしら？」

「うちは大家族なんで。助けなら、いくらでもいるんですよ」ジャックがソフィーのときと同じように、またしても作り話を始めようとしていることに、ルーシーは気づいていた。「父がぼくに教育を受けさせたくて、ぼくを寄宿舎に入れたんです。で、ルーシーがぼくの世話をすることになったんです」

ありえない話ね、ジャック。ルーシーは、ジャックをちらっと見ながら思った。

「まあ、それは一大冒険《ぼうけん》ね」と、サラ。

「母さん、おれも、ボストンで教育を受けたい！」トマスが話に割りこんだが、「トマス、あなたが話しかけられたわけじゃないの。いいこと？」と、母親のサラにやさしくたしなめられた。「で、あなたたち、どうやって旅しているの？　どこに泊《と》まっているの？」

「馬に乗って。テントを張って、野宿してます」

トマスが目を見ひらいた。

「あたしたち、だいぶ前に旅に出たんで……」ルーシーが口をはさんだ。「どのくらいたったか、わからなくなっちゃって。今日は何月何日ですか？」

トマスは、すぐにでもこたえそうなようすだった。なにがなんでも、会話にくわわりたいのだ。母親のサラも、そのことはよくわかっていた。「トマス、今日は何月何日かしら？」

トマスは、自信たっぷりにこたえた。「一六九二年七月十九日だよ」

ルーシーとジャックは、すばやく視線を交わした。まさに、セーレムの魔女《まじょ》裁判が行われた夏だ！

「大変よろしい」サラが、母親というより先生のような口調で満足げにいった。

そのとき、年長の妹がぱっと立ちあがり、窓辺に移動した。「母さん、見て！」

「なんなの、アン？」母親のサラはなにごとかと窓に近づき、「まあ、あれは……」と、恐怖《きょうふ》をあらわに、ルーシーとジャックのほうをふりかえった。「お願い、たったいまわたしに話したことだけをしゃべって！　ほかはいっさいしゃべらないで！」

ドアをノックする音がした。サラがドアに向かうと同時に、子どもたちは全員、また腰《こし》をおろした。トマスは、ジャックのとなりに座《すわ》って、つくえに向かっている。

玄関《げんかん》に、ひとりの女性が立っていた。みんなと同じように黒服だが、なぜかこの女性の黒はいっそう濃く見える。女性は、にこりともしなかった。「こんにちは、サラ」と、招かれもしないうちに入ってきた。

「こんにちは、マーサ。ジュースはいかが？」

「いいえ、けっこう」女性はイスに腰かけながらそういうと、ひとりひとりの子どもと目を合わせた。弟と妹たちはもじもじしたが、トマスはまっすぐ見つめかえしている。「お客さまだそうね」大柄《おおがら》なその女性がいった。

うわっ、地獄耳《じごくみみ》！　ルーシーは内心つぶやいた。

「じつは親戚《しんせき》なんですの。ボストンに向かうとちゅうの」サラは、落ちついていた。「ジャック・スチュワートとルーシー・スチュワート、あなたたちにマーサ・ウィリアムズを紹介《しょうかい》するわね。マーサは、うちの教会の牧師の奥さまよ」

「親戚？　あなたの親戚が来るなんて、知りませんでしたよ」マーサが、とがめるようにいう。

「ええ、わたしも知らなくて」サラは、すみやかにいった。「うれしい驚《おどろ》きですわ！」

「あなたたち、どちらから？」マーサが疑わしげに目を光らせながら、ルーシーとジャックにたずねた。

「シカゴからだよ！」トマスが出しぬけにこたえ、「これ、トマス！　礼儀《れいぎ》をわきまえなさい！」と母親のサラにしかられて、うつむいた。だが、うつむいていたのは、ほんの少しのあいだだけだった。

「シカゴなど、聞いたことがありませんね」マーサが声高《こわだか》にいった。まるで、自分が聞いたことのない町など、この世には存在するはずがない、といわんばかりだ。

「そのうち、聞くようになりますよ！」ジャックが、笑みをうかべながらいった。トマスもほほえんでいる。

マーサはますます疑いを強め、目の奥の脳みそをのぞきこもうとするかのように、ジャックをにらみつけた。

「はるか西にありますよ」ジャックがつけくわえる。

「そうですか。で、どういう親戚なの、サラ？」

「いとこです……わたしの側の、またいとこ」サラが、すばやくこたえた。「何カ月も前に手紙をもらっていたんですが、いつ来るか書いてなかったので、すっかり忘《わす》れていましたの。ジャックは勉強のため寄宿舎に入ることになっていて、そこへ向かうとちゅう。ルーシーは、そのお伴《とも》です」

「そうですか」マーサは、この話を信じていいものかどうか、決めようとでもするように、つぶやいた。

あたしたちを信じない理由でもあるのかしら？　それとも、他人のことはいっさい信じない人とか？　ルーシーは、またしても心の中でつぶやいた。

「ふたりだけで旅をするには、ずいぶん若いようね」マーサがつづけた。

「見た目より、年はいってるんです」と、ジャック。それ以上の情報はあたえない。

マーサは明らかにジャックを疑っていたが、話を先に進めることにした。「サラ、今日はセーレムからの知らせもあって来たんですよ」

「まあ、じゃあ、良い知らせではありませんわね」サラが、大きくため息をつく。

「エリザベス・ハウが絞首刑《こうしゅけい》になりました……ちょうど今日の朝方に」マーサはうわさ話をするときのように、意地の悪い喜びを感じさせる声で、おぞましい知らせをもたらした。

「まあ、ご家族がおかわいそうに」と、サラ。

「わたくしたちは、全員、油断してはならないのです！」マーサは、これ見よがしにサラを見つめて断言すると、つくえにいる面々をねめまわし、まずジャックを、つづいてルーシーを見た。「わたくしたち、全員が！」

「その人の罪は、なんだったんですか？」ジャックが声をあげた。

マーサが大きな胸をふくらませながら、派手《はで》に音を立てて息をのんだ。ルーシーは、ガチョウみたいな人間を見たことがなかった——いま、マーサを見るまでは。

「サラ、わたくしが辞《じ》したあと、このお客たちを教育してくれると信じていますよ。わたくしは、そろそろ失礼します！」マーサはよいしょとつくえに両手をついて立ちあがり、胸をそらして出ていった。

マーサがいなくなったあと、少しのあいだ、部屋は静まりかえっていた。サラは、深刻《しんこく》な顔をしている。やがて「本当は、なんのために来たのかしら？」と声に出していうと、子どもたちを見た。「みんな、外に行ってなさい。トマスとアンは、夕食用に豆をつんできてちょうだい」

トマスが文句《もんく》をいおうと口をひらきかけたが、母親のサラにきっとにらまれると、一発でおとなしくなり、外に出ていった。

「ウソをいって、ごめんなさいね」サラがいった。

「オッケーですよ」と、ジャック。

「オッケーって……どういう意味かしら？」

「あの、シカゴで使ってる言葉なんです」ルーシーが割りこんだ。「ご心配なく、という意味です」

「まあ、そうなの。ありがとう。けれど、わたしがウソをついた理由は、わかってもらわないとね。いま、セーレムで恐《おそ》ろしいことが起きていて、それと同じことが、ここ、トプスフィールドでも起きようとしているの」

「エリザベス・ハウって、だれですか？」ルーシーがたずねた。

「うちの教会の一員よ。魔術《まじゅつ》を使った罪で、告発されたの」

「そのことは、旅のとちゅうで聞いてます」と、ルーシー。「トマスは、魔女《まじょ》はこわくないっていってました」

「わたしもよ。わたしがこわいのは、告発者のほう。だから、ウソをついたの……あなたたちを守るために」

「えっ、おれたちを？」ジャックが、驚《おどろ》いてたずねた。

「あなたたちは、ここでは外の人間よね。告発者は、外の人間に容赦《ようしゃ》ないの。マーサ・ウィリアムズがあなたたちを見る目を見たでしょう？　みんな、他人に目を光らせている。疑われない人なんて、いないのよ」サラは、悲しそうな表情でそういった。

「あたしたちのせいで困ったことになったとしたら、ごめんなさい。ウソまでつかせることになって、すみません」時をさかのぼるなんて、結局、いいことじゃないのかも。

「あなたたちのせいじゃないわ。思いちがいをしている、おおぜいの人のせいよ。うちのことは、心配しなくてもいいわ。主人は、町でとても影響力《えいきょうりょく》のある貿易商だから」サラは大人の分別を見せてから、つけくわえた。「あの、お願いがあるんだけど」

「なんでもいってください」と、ジャック。

「このまま、ボストンに向かってちょうだい。ここに泊《と》めるわけには、いかないの」

「もちろんです」ルーシーがいった。「あたしたちに良くしてくれて、家の中に招いてくださって、ありがとうございました」

サラは外に出て、お客さまが出発しなければならないのだ、と子どもたちに告げた。トマスはふたりにもっといてほしくて、「せめて、おれが育てたものを見て行ってくれよ！」と食いさがった。

サラはそれをゆるしたが、別れのあいさつをすると、トマスの弟と妹たちを連れて家の中にもどってしまった。

トマスは家庭菜園の腕《うで》が自慢《じまん》で、あちこち走りまわって豆とトマトをひとつ残らずふたりに見せるうち、ふとしたひょうしにジャックに強くぶつかった。「イテッ！　マントの下に、なにを持ってるの？」

懐中電灯《かいちゅうでんとう》をしまっておいたポケットだ。トマスの好奇心《こうきしん》は、おさえようがない。エネルギッシュなトマスは、ジャックが止める間《ま》もなく、ジャックのマントをめくって、カーゴパンツのいちばん低い位置にあるポケットをあらわにした。そのポケットからは、懐中電灯の柄《え》が飛びだしていた。

「なに、それ？」

「これは、その……だれにもいわない？」と、ジャック。

「ちょっと、ジャック！」ルーシーが叫《さけ》んだ。

「うん、ぜったいいわないいって誓うよ！」トマスの青い目が、さらに青く輝《かがや》く。

「おいで」ジャックはあたりを見まわし、だれも見ていないのをたしかめながら、ライラックの大きな茂みの裏《うら》にトマスを連れていった。ルーシーも、不安そうについていく。ジャックはまたマントを広げ、二十一世紀のカーゴパンツを見せた。「シカゴの人間は、こういう特殊《とくしゅ》な旅行用パンツをはくんだ」

トマスは、なんの疑問も持たずに信じた。しかし懐中電灯《かいちゅうでんとう》となると、話は別だ。ジャックは、懐中電灯をポケットから取りだした。アルミニウム製の本体が、陽光を浴びて光る。トマスは、驚《おどろ》きのあまりぽかんとしていた。ジャックが、スイッチに親指をかけた。

「お、おれ……こんなにピカピカの金属、見たことがない！」トマスは、恐《おそ》れおののいていた。

「ちょっと、ジャック、こんなことしていいの？」

だが、いまさら後もどりはできない。ジャックとトマスは、まさに似た者どうしだ。

「見てろよ」ジャックはトマスにそういうと、丸めた手のひらに懐中電灯を向け、スイッチを押《お》した。ガラスのレンズの奥から光線が発せられ、ジャックの手に当たる。トマスは息をのんで、一歩さがり、ジャックのにやつく顔を見て、自分もうれしそうににやついた。「これが魔術《まじゅつ》なら、悪くないね！」

「魔術じゃないぞ。科学っていうんだ」

「へーえ！」トマスは、光線から目を離せなくなっていた。その顔を見るかぎり、科学という言葉がトマスにとって意味があるのか、ルーシーにはわからなかった。でも、そんなことは、どうでもいいのよね。いま、トマスが目撃《もくげき》している現象にくらべれば、意味不明な言葉なんて、なんでもないんだから――。

「ねえねえ、どんな仕組みになってるの？」

これは難問だ。八歳《さい》の子どもに、まだ発見されていない電気について、どう説明すればいい？

ジャックが、難問に挑戦《ちょうせん》した。「空に稲妻《いなづま》が走るのは、見たことあるよな？」

「うん」

「おれたちのふるさとでは……つまりシカゴでは、稲妻を少しだけつかまえて、ここに入れておけるんだ。スイッチを入れると、この小さなガラス球から、稲妻がちょびっと出てくる」ジャックは、小さな電球を指さした。「電気、っていうんだ」

「へーえ！」トマスはすっかり夢中になっていて、そういうのがやっとだった。

ジャックが、親指でスイッチを入れたり切ったりする。

「おれも、やってみていい？」トマスはジャックから懐中電灯《かいちゅうでんとう》を受けとり、親指でスイッチを押《お》した。なにひとつ見のがすまいと、好奇心《こうきしん》で目を見ひらいている。

「ねえ、トマス」ルーシーが切りだした。「このことは、だれにもいっちゃいけないと思うの。自分の目で見ないと、とても理解できないでしょ。だから、秘密にしておいて」

「うん」トマスは、なおも懐中電灯を食い入るように見つめている。

そのとき、トマスの注意をそらすようなことが起きた。十人ほどの集団が、こっちに向かって通りをつき進んでくる。先頭は、あの大柄《おおがら》なマーサ・ウィリアムズだ。

「あっ、ここにいて！」トマスは、ルーシーとジャックに命じた。

ルーシーとジャックは、ライラックの茂みの裏《うら》という見晴らしのきく地点から、トマスが自宅の家庭菜園にもどって、一団を迎《むか》えるのを見まもった。

「お客はどこです、トマス・ウィルコックス？」マーサが居丈高《いたけだか》にたずねた。

「ボストンに出発しました」

「そんなに、すぐに？」怒れる男たちの中のひとりが、なおもたずねた。

「はい」

トマスの母親のサラがただならぬ音を聞きつけて、家から出てきた。「いったい、なにごとです？　トマス、家の中に入ってなさい」

ルーシーとジャックは、そのあとのいい争いを聞いていた。マーサは、ルーシーとジャックがいとこで、ボストンに向かうとちゅうだ、というサラの話を信じなかった。かわいそうなサラは集団から質問ぜめにあったが、とうとう、子どもの世話と家事がありますから、と強引にふりきり、家の中に引っこんでしまった。残された集団は納得せず、あやしんでいたが、そこにつっ立っていることしかできないので、ああだこうだと論じながら、来た道を引きかえしていった。

「これ以上めんどうを引きおこさないうちに、ここを出なくちゃダメよ！」ルーシーは、サラを苦《くる》しい立場に追いこんでしまったことに胸を痛めていた。

「うん、そうだな。行こう」

あたりにだれもいないのをたしかめて、怒れる住人集団とは反対方向へ、通りを急いだ。だれにも見られることなくA1にたどりつくには、かなり遠まわりしなければならない。少なくともふたりは、そう思いこんでいた。ところがエセックス通りへの角をまがった瞬間《しゅんかん》、マーサ・ウィリアムズと連れの男ひとりと鉢合《はちあ》わせしてしまった。どうやら集団は解散し、ちりぢりになっていたらしい。

ジャックはうろたえることなく、「こんにちは」とあいさつした。ルーシーはだまったままだ。

ふたりはそのまま通りすぎ、Ａ１の菜園のほうへ向かおうとした。

「ちょっと、お待ちなさい！　主人のウィリアムズ牧師が、あなたたちと話をしたいといってます」マーサが命令した。

「おれたち、まだ先が長いんで、このまま行かないと」ジャックが、ルーシーともども足を止めずにこたえる。

「ボストンは、方向が逆ですよ！」マーサが、いまなお胸をふくらませながらいった。

マーサといっしょにいた男が、声が届く範囲にいた仲間を呼びよせた。仲間たちがルーシーとジャックを見て、あわててこっちに向かってくる。

こうなったら、逃《に》げるしかない。ルーシーとジャックは顔を見あわせた。Ａ１の菜園の門は、三軒先だ。やる気まんまんの追手は足が速く、そばに迫《せま》ってきていた。逃がしてはなりません！と背後でマーサが声高《こわだか》に命じる声がする。

ルーシーとジャックは、追手の集団が門にたどりつく直前に、ドアからＡ１に飛びこんだ。窓にかけよったら、二名の容疑者がこつぜんと消えるのを目撃《もくげき》した直後の追手がいた。ルーシーもジャックも息をきらしながら、マーサ・ウィリアムズが率いる、まごつく集団を見まもった。怒れる集団は、顔を見あわせたり、ぐるぐるまわったり、お手あげだと両腕《うで》をあげたり、我が目を信じられなかったりして、その場に立っていた。窓ごしにいらつく集団の声を聞いたとたん、ルーシーは体がふるえそうになった。

意外にもマーサは、すべてがまちがいだった、と宣言した。そして、いもしない魔女《まじょ》を見る羽目《はめ》になったのはおまえたちのせいだ、と集団を責めはじめ、なにかの魔法をかけたのだろう、と数人を非難までしたあげく、激怒しながら去っていった。残された集団は口論し、たがいに罪をなすりつけあっている。

「おい、あれ、信じられるか？」ジャックはぎょうてんしていた。

「あんなにおおぜいの人を絞首刑《こうしゅけい》にしたわけが、これでわかったわ。わからないことは、全部他人のせいにしてるのよ」ルーシーは、少しのあいだ、いままでのことをふりかえった。「ジャック、あたし、心配だわ。トマスとトマスの家族が、あたしたちのせいでマズいことにならなきゃいいけれど。とんでもないことに、なりかねないし」

「うん、そうなんだよな」ジャックが記憶《きおく》をたどった。「ウィルコックスという名前は……魔女裁判で読んだおぼえはないなあ」さらに考えこんでいる。「お母さんのサラは、夫が店を持ってるっていってたよな。ほら、授業で習ったろ。影響力《えいきょうりょく》のある商人とその家族は、ぜったい告発されなかったって」それでも不安だ。ふいにジャックが、暖炉《だんろ》の上に置いてある模型《もけい》の船のほうをふりかえった。「あれ、たしか……」と、模型に歩みよっていく。「船の底に、名前が焼きつけてあったぞ」メイフラワー号の模型をおろし、底を調べた。「おい！　これって、ひょっとして、そうか？」

ルーシーものぞきこんだ。読みにくいが、船の底には、名前が焼きつけてあった。「トマス・ウィルコックス」ルーシーは驚愕《きょうがく》して、その名前を読んだ。

「トマスが、この模型を作ったんだ！」ジャックが叫《さけ》ぶ。

ルーシーは目を疑った。しかし船底にあるのは、トマスの名前にまちがいない。トマスとその家族が無事だというたしかな証拠《しょうこ》とはいえないが、希望は持てる。

「なんで、こんなところにあるの？　ソーン夫人は、どうやって手に入れたの？」

「さあな」ジャックは、心の底から感動して模型をしげしげとながめた。「でも、トマスが作った船は、まちがいなくみごとだ」

14

かなった夢

　ルーシーとジャックはマントと靴《くつ》とぼうしを脱《ぬ》ぎ、もとのフックにもどすと、大量の新たな疑問と、ひとつの重要な答えを胸に、部屋の外の廊下《ろうか》にもどった。

　重要な答えとは、どうやら町の住人にはＡ１の部屋が見えないらしい、ということだ。

「過去の人たちは、あたしたちがソーン・ミニチュアルームに入るのが見えないのよね。とつぜん、跡形《あとかた》もなく消えたと思われたんじゃない？」

「うん、きっとそうだ」

　ふたりとも、翌朝ソフィーにうまく言葉を選んで質問し、さらに確認するつもりだった。

「おれとしては、あの模型があの部屋にたどりついたわけを知りたいなあ。ソーン夫人は、どうやったんだろう？」

「ほかにもいろいろと、ね」ルーシーは、質問だらけで頭がグチャグチャになっていた。さら

に別のことも、だんだん意識するようになっていた。そう、疲《つか》れだ。「ねえ、夜中の二時よ」と、腕《うで》時計を見ながらいった。「急にどっと疲れたのも、無理ないわね」自分が意思に関係なく、すぐに眠ってしまいそうだ。どの部屋で眠るかは、まだ決めていない。

ヨーロッパコーナーで休んだほうがいろいろな面で安全だろう、とふたりは判断した。第一に、もしなにかの理由ですみやかにここを出なければならなくなったとしたら、壁《かべ》のくぼみのドアのほうが、つかまる恐《おそ》れが少ない。11番ギャラリーの鍵《かぎ》はおそらくアメリカコーナーのドアにも使えるだろうが、そのドアを出た先は、案内所の目の前だ。第二に、食べ物はすべてヨーロッパコーナーに置いてある。ふたりとも空腹だった。ゴキブリに襲撃《しゅうげき》された直後から、なにも食べていない。

「いますぐ、移動しないと。いますぐじゃないと、あたし、疲れきって腹ペコで、のぼるどころじゃなくなっちゃう」ルーシーの意見は現実的だった。

ふたりは、アメリカコーナーを去る前に、もう何部屋か見てみることにした。ただしちらっとのぞくだけで、冒険《ぼうけん》は無しだ。部屋をつぎつぎとのぞきながら、下枠《したわく》を歩いていった。アメリカコーナーの部屋はどれも天井《てんじょう》が低いことに、ルーシーは気づいた。南部の部屋の中には豪《ごう》勢《せい》なつくりもあるが、城や王宮の部屋とはちがう。ルーシーは、古いおもちゃのある部屋がとくに気に入った。子ども用のお茶セットも二組見かけた。受け皿は、実際にはたぶん米粒《こめつぶ》くらいの大きさだろう。

粘着《ねんちゃく》テープで作ったクライミング用ルートにもどるまでに、ルーシーはあくびしはじめていた。

「行くぞ、いいか?」ジャックが置いておいたバケツをひろい、べとつくテープにしっかりと自分を貼《は》りつけながら、たずねた。

「うん」ルーシーが、後を追いながらこたえる。

ふたりとも、ベテランのクライマーになっていた。ジャックは、フルサイズの人間用に同じようなクライミングテープを発明するんだ、といっていた。「ひともうけ、できるぞ!」とちゅうで、ルーシーに注意する。「左に気をつけろ!」

ルーシーは顔を左上に向け、ジャックが注意しろといったわけがわかった。一匹《ぴき》のハエがテープに貼りつき、自由になろうともがいていたのだ。ルーシーの頭と同じくらいの大きさで、足は毛むくじゃら、目は球のように大きく、かなりみにくい。それでも羽は鉛《なまり》ガラスのようで、美しいといえなくもない。ハエは、慣れればこわくなかった。どっちみち貼りついていて動けないし、ゴキブリのように子どもを食べる生き物でもない。ルーシーは興味しんしんで、ハエの横をゆっくりと通過した。だんだん、かわいそうになってくる。いったん止まって、自由にしてあげたほうがいい？　バランスをたもちながら手をのばし、ハエの足の一本をそっと引っぱった。とがった足の毛は、見た目よりもやわらかい。べたつくテープから、もう一本、足をはがしてやった。足が二本自由になると、ハエは本能的に羽をばたつかせた。ルーシーはぶつからないように、すばやくさがった。ハエが身を引きはがし、暗い廊下《ろうか》の中へ飛んでいく。ルーシーは、良いことをした気分だった。

ふたりの疲《つか》れたクライマーは、てっぺんにたどりつくと、長くて暗いダクトの中へゆっくりと入りこんだ。今回は、穴の縁《ふち》からすばやく退《しりぞ》かないと危ないとわかっていた。縁ぎりぎりの位置で熱風が吹《ふ》きつけてきたら、ひとたまりもない。

幸いなことに今回は熱風が吹かず、やがてふたりはヨーロッパコーナーの床《ゆか》にたどりついた。

「おれは、もとの大きさのまま、この廊下で寝《ね》ることにするよ。万が一のために」

「ゴキブリのため、とか？」

「当たり！　シューシュー息を吐《は》く巨大《きょだい》なバケモノが、おれにかみつこうとした瞬間《しゅんかん》に目がさめるなんて……ううっ、ぞっとする。どっちかが、見張りにつかないと」

「うん、そうよね。床《ゆか》の上で、ホントに眠れる？」

「問題ないね。おれは、どこでも眠れるから。ステキなベッドで眠りたいなんて、思ってないし。城の部屋のどこかで休めればよかったんだけど、城の部屋にはベッドがなかっただろ。だから、どっちみち、床で眠ることになっただろうな」

ルーシーはもとの大きさにもどり、携帯《けいたい》食品のトレイル・ミックスを食べ、ジャックがふたり分のコートで寝床《ねどこ》を作るのを手伝ったあと、またミニサイズになり、ジャックに下枠《したわく》に乗せてもらった。初めて足を踏《ふ》み入れた、あのミニチュアルームE17の手前の下枠だ。

E17の部屋に入りこみ、この部屋を選んで良かったと満足した。ものすごく疲れていたせいもあるが、ミニチュアルームを見た瞬間、まっさきに思ったのが、これくらい豪華《ごうか》なベッドで寝てみたい、ということだったのだ。部屋の中を歩きまわり、もう一度、十六世紀の品々を見ていった。

スウェットパーカーを脱《ぬ》ぎ、彫刻《ちょうこく》された木製の戸棚《とだな》のそばのイスにかけてから、靴《くつ》を脱ぎ、ベッドのとなりの床にそろえた。シルクのベッドカバーをめくったら、その下のサテンのシーツがあらわになった。ベッドにあがり、手足をのばした。ひんやりとした、すべすべのシーツ。まさに天国！　ベッドから、壁紙《かべがみ》の模様《もよう》や巨大なシャンデリア、頭上高くの天蓋《てんがい》をながめまわし、ここが自分の部屋で、自分がこんなふうにぜいたくに暮らしているフリをした。

ベッドに寝そべりながら、この数時間で体験したすべてのことを思いかえした。ジャックとふたりでこの魔法《まほう》の鍵《かぎ》とめぐりあえたのは、本当に運が良かった。ジーンズのポケットの中の鍵を、指でなでた。眠くてぼうっとした頭の中で、さまざまな疑問がうずを巻く。鍵の魔法はどうなってるの？　ソーン夫人は知っていたの？　あのエンピツとヘアクリップは、どこのもの？　クリスティナの日記とトマスのメイフラワー号の模型《もけい》は、どうやってあの部屋にたどりついた？　そう、トマス——。ベンジャミン・フランクリンが避雷針《ひらいしん》の発明につながる有名な実験をした時点で、トマスはたぶん七十歳《さい》くらい。トマスは、その実験の話を聞くことになる？　そのとき、シカゴという遠い町からやってきて、夢みたいなものを見せ、電気について説明しようとしたジャックという少年のことをおぼえてるかしら？　トマスの家族が無事かどうか、まだ心配だった。あたしとジャックのせいで、トマスの家に災《わざわ》いがふりかからなかったか、たしかめられる？　ソフィーに、数年先に起こるフランス革命の危険について警告できる？　あたしとジャックが、なにごともなかったかのようにシカゴのふつうの子どもにもどるなんて、そんなことできる？

ルーシーは眠りにつき、一晩中、いろいろな部屋や矢やきらめく本が、美しく華《はな》やかな音楽にあわせて舞う夢を見た。

「おい、ルーシー、起きろ！」廊下《ろうか》から、ジャックの声が聞こえてきた。ジャックはさらに何度かくりかえしてから、つけくわえた。「もうすぐ七時だぞ！」

だから、なに？　寝《ね》かせてよ。ルーシーは寝返りを打ち、起きるまいとしながら、ぼうっと思った。

「おい、ルーシー！　美術館は十時にあくんだぞ。あと三時間しかない！」

この一言は効いた。ルーシーは美しいベッドの上に起きあがり、夢の世界ではないことをたしかめようと目をこすった。

「おい、ルーシーったら！」ジャックの声が、さっきよりとげとげしくなっている。

ルーシーは、ジャックに返事をした。「はい、はい！　起きます！　ちょっと待って」すごくだるくて、座《すわ》ったままでいるのも一苦労《ひとくろう》だ。女王さまにふさわしいこの部屋で、ぐずぐずしていたいのに。一分後、ベッドからおりて、靴《くつ》をはき、あくびをしながら、廊下に出た。

ジャックは、出かけたくてうずうずしていた。ジャックに床《ゆか》におろしてもらい、ジーンズのポケットから鍵をとりだして、放りなげた。

「行こうぜ！」もとの大きさにもどったルーシーに、ジャックがいった。「おぼえてるか？

ソフィーと会う約束をしただろ」

「もちろんよ、ジャック。ちゃんと目をさますから、ちょっと待って。ね?」ルーシーはジャックを見て、けげんに思った。なんでジャックは、こんなにしっかり目がさめてるの?「ねえ、いつから起きてたの?」

「さあ……三十分くらい前かな」ジャックが、チョコレートチップのグラノーラバーを一本、ルーシーにわたしながらこたえる。

「ああ、ありがと」ルーシーは、朝のもやもやした頭がすっきりするのを待ちながら、しばらくだまってバーを噛《か》んだ。

ひとつだけ、確実にわかっていることがある。トイレに行かずにすごせる時間を、計算ちがいしていたことだ。アップルジュースを少しすすったのをのぞけば、きのうの午後からなにも飲んでいないのに、ミニチュアルームを離れるまでがまんできそうにない。ひょっとして、ジャックも同じ状態とか?

「あのね、ジャック。ええっと、その……トイレは、だいじょうぶ?」

「ああ、うん……ルーシーもトイレかなって、さっきから思ってたんだ」

ふたりとも悩んで、しばらくだまっていた。

「トイレはどこなんて、ソフィーにきくわけにはいかないよな？」

「あたし、そこまでがまんできないと思う。もしソフィーがトイレの場所を知らなかったら、どうするの？」十八世紀のパリの公園で、茂みの裏《うら》で用を足すなんて、ぜったいにイヤ！

となると、選択肢《せんたくし》はふたつ。ミニチュアルームの中でトイレをさがすか、あるいは、なんとかして美術館のトイレに行くかだ。たいがいのミニチュアルームは、現代のトイレができる前の時代のものだ。別世界でトイレらしきものを見つけるとしても、どのくらい遠くに行くことになるか、わからない。しかも、いまのふたりの服装は、どの部屋の時代にもそぐわない。

「美術館のトイレは、そこの角のすぐ先だ」と、ジャック。

ルーシーも、同じ結論に達していた。「ミニサイズにちぢんで、ドアの下をくぐって、壁《かべ》の幅木《はばき》に沿って走ればいいわ。きっとだいじょうぶ。警備員はまだ全員そろってないし、こっちはネズミみたいにミニサイズだし。アメリカコーナーの廊下《ろうか》に行こうとしたときも、センサーには引っかからなかったし。トイレの個室に入ったら、大きくなろう」ルーシーは、これが最良の選択だと確信していた。

「よし。やってみよう！」

ふたりは出口のドアまで走っていき、鍵《かぎ》の魔法《まほう》で小さくなった。

11番ギャラリーを出た瞬間《しゅんかん》、ふたりとも、体がさらに小さくなった気がした。巨大《きょだい》な宇宙の中の、ふたつの点になった気分だ。館内の照明は、まだついていない。十三センチの小人にとっては、かなり長い旅になる。ふたりは、幅木《はばき》に沿って廊下《ろうか》を進んだ。ただし一度は、気が狂《くる》いそうになりながら、だだっぴろい空間をつっきらなければならなかった。

旅の最後で、トイレまであと六メートルに迫《せま》ったそのとき、当然予期できたのに見落としていた、ある異変が生じた。先にルーシーが、異変に気づいた。「ヘンよ、ジャック。なにか起きてる。なんか――」

「おれもだ」ジャックがとちゅうでいった。

ふたりとも走りながら、魔法《まほう》が消えていくのを感じていた。どんどん、どんどん、体が大きくなっていく。

「急げ！」

「わかってる！　もうすぐ、トイレよ」

飛びはねるようにして角をまがり、女性トイレに向かうころには、ふたりとももとのサイズの半分ぐらいまでもどっていた。

「早く！　個室に入って！」ルーシーが指示した。まさか、こんなことになるなんて！　トイレに監視《かんし》カメラはある——？

「どうする？」ルーシーは自分の個室から、別の個室にいるジャックにささやいた。心臓がドクン、ドクンと音を立て、声をかき消してしまいそうだ。

「どうしようもない。来た道を引きかえして、とちゅうで鍵《かぎ》がおれたちを小さくしてくれるのを期待するしかない。鍵は？　どこ？」

「あたしのジーンズのポケットの中。なんで？」

「個室を出ると同時に、魔法がフルパワーになるように、鍵をにぎるんだ」

「だれかに見られてたらどうする？　監視カメラにってことだけど」ルーシーは、不安だった。

「だからこそ、廊下にもどって、急いで小さくなるんだ。用は足したか？　いいか？」

「うん！」

個室を出た瞬間、ルーシーはジャックの手をつかみ、もう片方の手をジーンズのポケットにつっこんで、鍵をにぎりしめた。

「どうだ？」ジャックが、せっぱつまった声でたずねた。「もう、なにか感じた？」

もうすぐトイレの出口だ。

「鍵が熱くなってきてる！　このまま行こう！」ルーシーは、ひそひそ声でこたえた。

廊下《ろうか》にまだだれもいないかどうか、いったん角でのぞいてたしかめてから、つき進んだ。

「うん、いい調子。鍵《かぎ》がどんどん熱くなってる」ルーシーが、ジャックといっしょに走りながらいう。

ようやく魔法《まほう》が効きはじめ、11番ギャラリーまであと半分の地点では、完全にネズミサイズにもどっていた。

ジャックが、息をきらしながらいった。「おれの家で……ルーシーがちぢまなかったわけが……わかったな。ミニチュアルームのそばにいないと……ダメなんだ」

ちょうどそのとき、館内の照明がいっせいに灯《とも》った。

「早く、ジャック！」

角をまがり、ギャラリーに飛びこんだ。壁《かべ》のくぼみまで三メートルほどの距離《きょり》だが、ミニサイズのふたりはカーペットのループのせいで動きがにぶり、永遠にかかりそうだ。ようやくドアにたどりつき、下のすきまからもぐりこんでも、ふたりはなおも動きを止めず、はるか先のつきあたりまで、U字型の廊下を走っていった。

ルーシーとジャックはひと息ついて、追われる生き物のように身を寄せあった。

「照明がついたのは、あたしたちが見られたから？」少しして、ルーシーがたずねた。

「どうだろうな」ジャックはそういいかけて、つけくわえた。「ん？　なにか聞こえないか？」展示室から、複数の声が聞こえてきた。「そっちは異常ないか？」ひとりの男の声がした。「あ、すべて異常なしだ。ドアをチェックしよう」別の男の声がする。反対側の廊下にあるドアに、鍵がさしこまれる音がした。「ここは鍵がかかったままだ。すべて異常なし。たぶんネズミだな。このあたりにネズミ捕りをいくつかしかけるように、いっておこう。センサーの感度が良すぎるんだよな」

ルーシーとジャックが耳にした声は、それが最後だった。ふたりはさらに数分間、じっと座《すわ》っていた。

「ふう、危なかったね」ルーシーは、心臓のドキドキがようやくおさまってきた。「そうだ、いま何時？　ソフィーに会いに行かなくちゃ！」

カタログの階段へと引きかえしながら、ソフィーになにをいうか、ふたりで相談した。まずは、あとどのくらいでソフィーの人生にフランス革命が影響《えいきょう》しはじめるか知るために、ソフィーの世界の日時をつきとめなければならない。過去の人々にはミニチュアルームの入り口が見えないことも、たしかめたい。もしかしたら見えないのかも、と思うようになったのは、矢が目の前で消えたE16の部屋にいたときだった。そして、トマスの町での体験で、まちがいなさそうだと確信した。だが、すべての部屋でそうなのか、つきとめたい。

下枠《したわく》にたどりつくと、前に十八世紀の衣装を見つけたE22の部屋に向かい、衣装をすべてととのえてから、E24の部屋に移った。

十八世紀のフランスの戸外に出ても、驚《おどろ》くほど違和感がない。ルーシーはジャックといっしょにバルコニーに立ち、景色をながめながら、深呼吸をした。ソフィーがいるかどうかたしかめてから、公園に出て、小道を歩き、約束のベンチで長いこと待った。

「ちょっと早く来すぎたようだな」と、ジャック。

「朝の身支度《みじたく》に、けっこう時間がかかるんじゃないかしら。あの髪型《かみがた》、かなり手がかかるもん。夜明け前に起きださないと、セットできないわよ」

朝、ルーシーは、髪をブラシでとかすだけだ。

「へーえ、そんなこと、考えもしなかった」

「ジャックには、お姉ちゃんがいないもんね」

そのとき――。「ボンジュール！ 今日は、ご機嫌《きげん》いかが？」ソフィーが後ろから走ってきて、ふりかえったルーシーとジャックのほおに、それぞれキスをした。

「ボンジュール！」ルーシーは、どうしてもフランス語であいさつしたくなった。

「やあ、おはよう！」ジャックは英語だ。「今日の調子は、どうだい？」

「とてもよろしくてよ」ソフィーは粗布《あらぬの》の小袋をひとつ持っていて、そこから焼きたてのクロワッサンを三つ取りだし、ルーシーとジャックにひとつずつわたした。「朝食がまだですの。もう召《め》しあがりまして？」

「ううん、あたしたちも、まだ。ありがとう」ルーシーは、焼きたてのクロワッサンを一口かじった。濃厚なバターの味のするパイ状のパンが、口の中でとろける。シカゴでは、こんなクロワッサンは食べられない！

「うちには、宮廷《きゅうてい》の厨房《ちゅうぼう》でいちばんのパン職人がいますの」ソフィーが、上品に一口かじりながらいう。

厨房というのはきっとキッチンよね、とルーシーは思った。

ソフィーがしゃべっていたら、ソフィーの家庭教師の男が近づいてきた。今日も本を持っていて、歩きながら読めるようにひらいている。ソフィーが家庭教師にフランス語でなにかいい、ルーシーとジャックを紹介《しょうかい》した。家庭教師の名は、ムッシュー・ルシュウール。髪が多く、ちぢれっ毛で、メタルフレームの読書用メガネをかけていて、ラフなかっこうをしている。

「お会いできて光栄です」ムッシュー・ルシュウールは、かしこまってルーシーに頭をさげながらフランス語でいうと、ルーシーの手をとってキスをした。ルーシーは少し恥《は》ずかしくて、「こんにちは」とだけあいさつした。ジャックは、ムッシュー・ルシュウールに片手をさしだし、握手《あくしゅ》した。「初めまして」

ソフィーの家庭教師であるムッシュー・ルシュウールは、目付け役としてふるまうつもりらしい。「歩きながら、話しませんか?」つまり、ソフィーをルーシーたちにあずける気はない、ということだ。ムッシュー・ルシュウールは、イギリス訛《なま》りの英語を完ぺきにしゃべった。「ソフィーから聞いたんですが、植民地からいらしたとか。じつに興味ぶかい。いつの日か、わたしも船で渡《わた》るのが夢なんですよ。お住まいは、どちらに?」

これには、ルーシーがこたえた。「フィラデルフィアです。パパが新しい議会で働いていて、あたしたちはパパといっしょにずっと旅行してるんです」うまくこたえられて得意になりつつ、重要な情報を引きだすならいまだと気づき、トマスにたずねたときのように問いかけた。「ずいぶん長いあいだ旅をしているので、どのくらいたったか、わからなくなっちゃって。今日は何月何日ですか?」

五月二十日だよ、とムッシュー・ルシュウール。しかし、西暦《せいれき》まではいわなかった。

ジャックは、頭の中のデータを確認した。ベンジャミン・フランクリンがアメリカにもどったのは、一七八五年にまちがいない。フランス革命が勃発《ぼっぱつ》したのは一七八九年。となると――。

「一七八四年……ですか？」

ジャックの言葉に、ソフィーもムッシュー・ルシュウールも大笑いした。「まあ、本当に、ずいぶん長いこと、旅していらっしゃるのね。一七八五年ですわ」ソフィーが訂正《ていせい》した。

ルーシーも声をあげて笑い、「ハハッ、ジャックはよくじょうだんをいうんです」と、いいわけする。

ジャックは少し赤くなったが、いっしょに笑っておくことにした。少なくともこれで、必要な情報は手に入った。

ところがムッシュー・ルシュウールは、伝説のベンジャミン・フランクリンについて、もっと聞きたがった。「ムッシュー・フランクリンは、じつに魅力的《みりょくてき》で博学な方ですね。お父上は、ムッシュー・フランクリンの補佐をしているのかな？」

「はい」と、ジャック。「今回は、ミスター・フランクリンがパリでの仕事をかたづける手伝いをして、いっしょに帰国するのが仕事です。なにせ、ここの状況《じょうきょう》が状況なもんで」

「状況ですって？」ソフィーがたずねた。

「アメリカ人とミスター・フランクリンは、この地で革命が起きると確信してるんです」ジャック は淡々《たんたん》とこたえた。

ソフィーが息をのむ。「まあ、革命！　いつですの？」

「近いうちに。たぶん、数年後には。フランス国王をたおすために、戦いを辞《じ》さない人たちが……殺しも辞さない人たちが、おおぜいいるから」

「無理もないね」と、ムッシュー・ルシュウール。「ぼくも、変化を強くもとめる不幸な人々をおおぜい見てきたよ。きみたちの国で起きたことを、聞いているからね。きみたちは、イングランド王から自由を勝ちとった。それと同じことを、わが国の国民も望んでいる。そろそろ、念願だったアメリカへの旅を考える、いい頃あいかもしれないな」

ソフィーは、すごく不安そうだった。「そんなこと、本当に起きますの？」

「ええ、まちがいなく」と、ルーシー。

ソフィーは、家庭教師のムッシュー・ルシュウールをすがるように見た。

「きみがイングランドで勉強をつづけられるように、手配できるかもしれない」と、ムッシュー・ルシュウールがやさしくいった。

「まあ、それはぜひ！　わたくし、暴力はきらい」ソフィーが叫《さけ》ぶ。

いまのソフィーはすごく子どもっぽい感じがする、とルーシーは思った。もしあたしがソフィーの立場だとしたら、やっぱり同じように感じるんだろうな。

ソフィーは、さらにいった。「そうしたら、わたくし、そんなに早く結婚《けっこん》しなくてもよくなるかも」

「パリには、あとどのくらい滞在する予定なのかな？」ムッシュー・ルシュウールがたずねた。

「今日、出発するんです」ジャックがこたえる。

「ケ・ドマージュ……それは、残念ですわ」ソフィーが、ジャックを見ながらいった。「もう少し長くいられませんの？」

「いたいところなんだけどね」と、ジャック。

四人は小道を歩いていった。道に沿って伸びている庭のバラの香りがとてもあまいうえ、ソフィーへの警告にすっかり気を取られ、ルーシーもジャックももうひとつの目的を忘《わす》れかけていた。が、ようやくルーシーが、たしかめなければならないことを思いだした。「なんてきれいな庭なんでしょう。この道、どこまで伸びているのかしら？」

四人は、Ｅ24の正面とバルコニーへの階段が正面に見える位置にいた。ルーシーとジャックにははっきりと見えているが、ムッシュー・ルシュウールの答えは――。「かなり先まで伸びているよ。どの方角にも、十五分は歩けるね……そっち以外は」と、E24のバルコニーを指さした。「あのスズカケノキの生いしげった林の向こうは壁《かべ》でね。さらに向こうは、町の通りだ」

「まあ、そうですか！　あそこに、ほかに建物はないんですか？　林と壁だけ？」

「決まってますわ」ソフィーが、ルーシーの言葉を笑いとばしながらいった。「林しかないのが、見えませんの？」

ジャックが、すみやかに話題を変えた。「そろそろ、父さんと落ちあわないと。パリには、またいつか来ますよ」

「まあ、そんな、もう少しよろしいでしょ？」ソフィーが、悲しげに目を見ひらく。

「残念だけど、もう待たせてるの」と、ルーシー。「本当に、行かないと」

「連絡《れんらく》を取りつづけるには、どうしたらよろしいの？」

ジャックはきのうソフィーに話したことを思いだしながら、すばやく頭を働かせた。「アメリカ大使館に手紙を送って。そうすれば、いずれこっちに届くから」そして片手をさしだし、ムッシュー・ルシュウールと別れの握手《あくしゅ》をした。

「きみたちに会えて、すごく楽しかった。今度は、アメリカで会おう」と、ムッシュー・ルシュウール。「ソフィー、そろそろ行こうか？」

「ええ、行かなくてはならないのなら」ソフィーはため息をつき、「どうか、ご無事な船旅を！」
ルーシーとジャックを抱《だ》きしめ、それぞれのほおにキスをした。ルーシーは、ジャックが少し赤くなったことに気づいた。

「オウ・ルヴォワール。ボン・ヴォヤージ！　さようなら。楽しい旅を！」ソフィーが、別れぎわに涙《なみだ》をぬぐう。ルーシーは、胸に熱いものがこみあげてきた。

ルーシーとジャックにとって目下《もっか》の問題は、どうやってこの場から立ちさるかだ。バルコニーの階段に近づいていったら、煙《けむり》のように消えたと思われてしまう。ソフィーとムッシュー・ルシュウールを混乱させたくない。となると、ソフィーとは反対の方向へ行き、道に迷わないようにするしかない。ルーシーとジャックは、ソフィーとムッシュー・ルシュウールの姿が見えなくなるまで反対方向へ歩いてから、どちらにも出くわさないように気をつけながら引きかえした。

バルコニーの階段までもどったら、散歩中の老人がひとりいた。その老人が通りすぎるのを待って、階段の一段目に足をかけた。しかし踊《おど》り場でふりかえったら、その老人は階段の一段目を――ルーシーとジャックが忽然《こつぜん》と消えた階段の一段目を――見つめていた。ふたりがぱっと消えた瞬間《しゅんかん》に、ふりかえったにちがいない。

「な、なんてこった！」老人は混乱し、頭をかきむしりながら、フランス語でいった。

「おれたちには、どうしようもないよな」と、ジャック。「かわいそうに」

「あの人の言葉を信じる人は、まずいないわね」

ふたりはそのまま階段をのぼり、少しのあいだバルコニーに立って、その老人が首をふりながら立ちさるのを見おくった。

E24の部屋にもどったルーシーとジャックは、ぐずぐずしながら、あたりを見まわした。今日が日曜で、冒険《ぼうけん》がもうすぐ終わることは、ふたりともわかっていた。

「あと少しで開館だな」ジャックの声は暗かった。「まだわからないことが、たくさんあるのにな」

ルーシーは、前にひらいたことのある美しい日記帳をながめながら、つくえの前に立った。E1の部屋の日記には答えや魔法《まほう》がつまっていたが、この部屋の日記には魔法の力などないらしい。ふしぎな光も、奇妙《きみょう》な音もない。それでもルーシーは、日記をひらくようにうながされている気がしていた。ひきだしから日記の鍵《かぎ》を取りだして、留《と》め金をはずし、ジャックが最後にもう一度部屋の中を見てまわるあいだ、飾《かざ》りたてられた表紙をめくった。

一ページ目をひらいた。ミラノの公爵《こうしゃく》夫人クリスティナの日記と同じように、かなり凝《こ》った筆跡《ひっせき》で書かれていて、文字がわからないが、だんだん目が慣れてきた。すべてフランス語なので、内容はぜんぜんわからないのだが——。

ソフィー・ラコンブ

「ジャック！　見て！　これって、ひょっとして……？」ルーシーは、体がふるえそうになった。ジャックがかけよってきた。ルーシーがなにをそんなに興奮《こうふん》しているのかと、首をかたむけながらページを見つめて、たずねる。「ええっと、これは……L？」

「ちがう！　ちがうって！　ソ・フ・ィ・ー。ソフィーって書いてある。それに、ほら、ラコンブって。ソフィーの名字じゃない？」

「スゲー！　そうそう、そうだ！」

「ねえ、ジャック。この日記を持ちだすなんて、とんでもないことだと思う？」

「なにいってるんだよ？　持ちだすに決まってるだろ！　ソフィーになにがあったか、つきとめないと！」

ルーシーは、すばやくページをめくった。「たしか、とちゅうで終わっていたような……ほら、ね？」ルーシーの記憶《きおく》どおり、あるページのとちゅうで文章がとぎれていた。そのあとのページは、すべて空白だ。

ソフィーの身に、なにか恐《おそ》ろしいことが起きたのかも。ルーシーもジャックもその考えを口にしたくなくて、顔を見あわせた。答えがわからないのにいらだちながら、ルーシーは日記をとじ、にぎりしめた。なんでこの日記は、クリスティナの日記のように語りかけてくれないの？どうしてソフィーの身に起きたことを伝えてくれないの？　この本に魔法《まほう》の力があるのなら、きっとなにか感じる。あたしの手の中で、日記が熱をおびるはず——。

そんな思いが頭をよぎった瞬間《しゅんかん》、かすかに、それとわかるくらい、温度が微妙《びみょう》に変化した。手のひらに当たる日記が、まちがいなく温かい。

しかし、勘《かん》ちがいだったのかも、とルーシーが首をかしげたくなるくらい、その熱はほんのいっときで消えた。

15

驚きの発見

E22の部屋にもどり、ルーシーはのろのろと自分の服に着かえた。心に暗い影がさしはじめていた。シカゴでの現実の生活に、どうやってもどれというの？　いまでは、疑問を山のようにかかえていた。どうやって答えを見つけろっていうの――？

ワードローブに服を吊《つ》るしてから、ジャックの脱《ぬ》いだ服を取りにいき、同じく吊るした。

ジャックも、みじめな顔をしていた。

十時まで、あと五分。もうすぐ開館だ。

ふたりとも無言のまま、カタログの階段のいちばん上の段まで移動した。

「階段をおりる？　それとも、ジャンプする？」

「おりようぜ。そのほうが、長くかかるだろ」

ルーシーには、ジャックの気持ちが痛いほどわかった。階段を一段おりるたびに、気持ちが

しずむ。階段をおりきると、ポケットに手を入れ、鍵《かぎ》を取りだした。もとの大きさにもどりたくなくて、動きを止め、魔法《まほう》の鍵を見つめた。

「さっさとやっちまおうぜ、ルーシー。そのうち、また来られるよ」

「そうだよね」

しかし、ここで一晩すごすチャンスなど、そうすぐに来ないことを、ふたりともわかっていた。左手でジャックの袖《そで》をつかみ、右手で鍵を床《ゆか》に放りなげた。そよ風が吹《ふ》きはじめ、服がきつくなってからフィットした。体がもとの大きさにもどるにつれて、周囲の空間がもとの大きさにちぢんでいく。

「おしまいね」ルーシーは、フルサイズになったジャックを見ながらいった。「荷物をまとめよう」

ジャックが鍵をひろい、ポケットに入れた。

食べ物のつつみ紙をかたづけ、カタログの階段をばらばらにし、カタログをもとの箱にもどした。バケツと粘着《ねんちゃく》テープも、もとの場所にもどした。コートを手に取った瞬間《しゅんかん》、展示室から客たちの声が聞こえてきた。廊下《ろうか》を出ようとしたそのとき、ルーシーが足を止めた。「あたしのスウェットパーカーがない。どこ？」

「さあ。最後に着てたのは、いつ？」

「きのうの晩だと思う。寝《ね》る前に脱《ぬ》いだから。あっ、そうだ、E17の部屋！　あそこのイスにかけたままだ！」

「取ってこいよ」ジャックがポケットに手をつっこみ、ルーシーに鍵をわたしながらいった。

ルーシーは鍵を受けとり、ほどなくジャックにE17の手前の下枠《したわく》に乗せてもらった。

「だれにも見つかるんじゃないぞ！」

ルーシーはE17の出入り口の外に立ち、ゆうに一分は待った。ミニチュアルームをのぞきこんでいる客はいないと判断し、部屋に入る。パーカーはきのうのまま、大きな戸棚《とだな》のそばのイスにかけてあった。完全に場ちがいだ。

そのイスに歩みより、パーカーの袖に腕《うで》を通しはじめた瞬間、正面のガラス越しに中をのぞきこむ客の顔が見えた。逃《に》げだすヒマはない！　ほとんどなにも考えず、大きな戸棚の扉《とびら》を一枚あけ、中に飛びこんだ。扉を完全にしめられなかったが、外開きで、展示室の客に向かってあいているので、扉の裏《うら》にかくれられる。戸棚の中でちぢこまっている姿を見られる恐《おそ》れはない。ふう、危なかった！

ん？　待てよ。これは、なに？　うす暗い戸棚の中に、なにかあるのが見えた。なんとなく、見おぼえのある形だ。手をのばし、一本のひもをつかんで引きよせた。バックパックだ！　まちがいない！　どこのブランドかわからないが、ソーン・ミニチュアルーム用に作られたものでは、ぜったいにない。数分間、展示室の客たちの声が通りすぎるのを待って、バックパックに飛びついた。「ジャック！　ジャック！　見て！」ルーシーは部屋から下枠《したわく》へと飛びだし、息をはずませて叫《さけ》んだ。

「おい、なんでこんなに時間がかかる——」ジャックはそういいかけ、ルーシーの持っているものを見た。「えっ、ええっ！」

「だれかのバックパックよ！　戸棚《とだな》の中にあったの。客に見られそうになって飛びこんで、見つけたの！」

「来いよ」ルーシーが乗れるよう、ジャックが片手をさしだした。

ルーシーがバックパックともどもとの大きさにもどるとすぐに、ふたりはさっそく中身をたしかめた。

「スッゲー！」ルーシーがつぎつぎと取りだした中身を見て、ジャックはそういうのがせいいっぱいだった。算数の教科書、一冊のノート、筆入れなど、学校で使ういろいろな品にくわえ、ふたりを驚《おどろ》かせた品がひとつあった。アルバムだ。

「ジャック、これを見て」ルーシーが算数の教科書をひらきながら、ささやいた。表紙の裏《うら》の見返しに、名前が書いてある。キャロライン・ベル、と。

ルーシーとジャックは驚愕《きょうがく》して、顔を見あわせた。「じゃあ、これは、あのアルバムってことかよ！」

この発見の重みを、ふたりとも瞬時《しゅんじ》に悟《さと》っていた。

ルーシーは、下手《へた》にさわるとこわれてしまう宝物であるかのように、アルバムをめくった。どのページにも、白黒写真がならんでいた。ほぼすべてが、若くて美しい母親と赤んぼうの写真だ。ページが進むにつれて、赤んぼうがよちよち歩きの幼児《ようじ》から幼《おさな》い子どもへ、学童の女の子へと成長していく。しかも女の子は、髪《かみ》にヘアクリップをひとつ、つけていた！　ルーシーは芸術や写真にくわしくなかったが、自分の家族のスナップ写真とはくらべものにならない水準であることはわかった。アルバムの最後には、大量のネガが入った一枚の封筒《ふうとう》があった。「ミスター・ベルがなくした写真よ！　取りかえせるものならなんだってさしだすっていってた、あの写真！　ジャック、あたしたちが見つけたのよ！」

バックパックのすべての中身を、コートのあちこちのポケットにつめこんだ。ソフィーの日記は、ルーシーがコートの中にかくした。平たくなったバックパックとアルバムは、ジャックがコートの中に入れ、ジッパーをあげた。

外に出るのに、少しかかった。最初の数回は、ドアの向こうにおおぜいの客が見えた。ドアを細くあけたまま、タイミングをはかり、まずルーシーが外にすべりでて、週末担当の警備員に質問をしにいく。そのすきに、ジャックも外にすべりでた。背後で、ドアがカチッとしまる。

美術館を出たふたりは、バスで自宅の近所にもどった。二十一世紀の人々の中にもどってきて、ふたりともみょうな気分を味わっていた。なにもかもが、以前とはちがって見える。町のにおいもさることながら、空気そのものが、言葉ではいいあらわせないほど、ちがっている。

ルーシーは姉のクレアに電話をし、このままジャックの家で朝昼兼用《けんよう》の食事をすると伝え、すんなりと了解を取った。

ふたりとも、アルバムのことはまだジャックの母親にはいわないでおくことにした。キャロライン・ベルのことや、バックパックがあの戸棚《とだな》の中に行きついた理由について、少しつきとめておきたかったのだ。どこで見つけたのか、リディアに説明することもできない。

「ふたりとも、おはよう！」ジャックの母親のリディアが、エレベーターのドアの前でふたりを出迎《でむか》えた。「ルーシー、ちょうどあなたの家に電話しようと思ってたの。うちに食事に来ないかって」リディアはジャックの額《ひたい》にキスした。「だんだん、さびしくなっちゃって！」

「ありがとうございます」ルーシーは、ほほえんだ。「荷物を置いてくるね、ジャック」ソフィーの日記を、安全なジャックの部屋に置いてきたい。

「ワッフルなんて、どう？」

「やった！　たくさん焼いて。おれ、マジで腹ペコなんだ！」ジャックがルーシーを追って自分の部屋に入りながら、ねだった。

「きのうの晩、少しは眠ったの？」リディアが、ジャックの部屋に向かって声をはりあげた。「ふたりとも、徹夜《てつや》明けみたいな顔をしてるわよ」

「徹夜はしてないよ」

ジャックも大声で正直にこたえると、大切な日記をルーシーから受けとり、ひきだしのTシャツの下にしまった。ピンクのヘアクリップは、バックパックの中に入れた。ミスター・ベルの写真は白黒で、色まではわからないが、ピンクのヘアクリップはキャロラインのものにちがいない。バックパックは、ジャックのベッドの下に置くことにした。母親のリディアが二階のベッドルームに来ることはまずないし、どっちみち、とりあえず置いておくだけだ。

「こんなにおいしいワッフル、生まれて初めてです。ごちそうさま！」ルーシーは、三枚目をたいらげていった。こんなに腹ペコなのも、生まれて初めてだ。

「今回の外泊《がいはく》は、やめさせるべきだったかしら。あなたたち、ものすごく疲《つか》れた顔をしてるもの」

「だいじょうぶだよ、母さん。宿題は金曜にすませたから」

「あら、えらいじゃない！」リディアは、少し驚《おどろ》いた顔をしていた。

「ま、ルーシーがそうしようっていったんだけどさ」ジャックが告白する。

「ありがとうね、ルーシー」リディアがそういって、ルーシーのマグにココアを足した。

そのとき、電話が鳴った。リディアがナンバーディスプレーを確認し、晴れやかな表情になる。

その電話は、あるギャラリーのオーナーからだった。会話を聞くかぎり、リディアは市内の美術商たちに共同でミスター・ベルの旧作の写真展を開かせようと、この数日、あちこちに電話をかけまくっていたらしい。ルーシーとジャックは、聞き耳を立てた。この電話は、いい知らせらしい。ミスター・ベルにはもうひとつ、リディアの知らない、とてもいい知らせがある――。

ルーシーとジャックは、顔を見あわせた。


そのあとの数日間は、苦労《くろう》の連続だった。

第一に、ふたりとも学校に行かなければならない。算数やスペイン語文法、地理や歴史の「南北戦争」の単元に集中しようとはするのだが、ついつい、体験した生の歴史のことばかり考えてしまう。ルーシーは火曜日に、地理のテストであやうく赤点を取るところだった。ジャックは、算数もスペイン語もボロボロだ。

水曜日、ふたりはビドル先生から、ランチに行く前に少し話がある、と足止めされてしまった。ビドル先生は、にこりともせずに切りだした。「正直にいって、驚いています。あなたたちは、わたしの受け持ちの中でもトップクラスなのよ。なのに一週間以上、成績がさがりつづけているし、この三日間はふたりとも最悪だったし。どういうことか、説明してちょうだい」

いままでルーシーは、どの先生からも、こんなふうに小言をいわれたことは一度もなかった。

先にジャックがこたえた。「ちょっと脱線《だっせん》しただけなんです、ビドル先生。最近は、フランス革命について、読みあさってばかりいたもんで」

「フランス革命？」ビドル先生は、とまどっていた。「なぜなの？」

ジャックは正直にいった。「社会科見学のあと、ルーシーがソーン・ミニチュアルームにすっかり夢中になっちゃって。うちの母さんから借りたソーン・ミニチュアルームのカタログを、最初から最後まで四十回くらい読んでるんです。で、ふたりでまたミニチュアルームを見に行って、いろいろとおもしろいものを見つけて、もっと知りたくなって、それで――」

「えっ、ちょっと待って。あなたも関係ある話なの、ルーシー？」

「寝《ね》てもさめても、ミニチュアルームのことしか考えられなくなっちゃったんです、ビドル先生」と、ルーシー。これも事実だ。

「それにしても、なぜフランス革命なの？　あの時代に、なにか特別なことでも？」

ルーシーはビドル先生が大好《だいす》きだったので、なにもかも打ちあけたくてたまらなくなり、できるだけ正直に、信じてもらえそうな返事をした。「なぜ、あの時代なのかは、よくわかりません。とにかく、あの部屋のなにもかもが、すごくリアルに感じたんです」

「じゃあ、こうしましょう」ビドル先生は、まだどことなくとまどった顔をしていた（ふたりの生徒から、フランス革命に病みつきなんです、なんていわれたのはきっと生まれて初めてよね、とルーシーは胸の中でつぶやいた）。「あなたたちがレポートを提出するのなら、先週のひどい点数はなかったことにしてあげます」

ルーシーにも、ジャックにも、あまりありがたい話ではなかった。宿題は、少なければ少ないほどいい。

ところが、ビドル先生の話にはつづきがあった。「わたしの仲のよい友だちが、シカゴ美術館の記録保管所で働いているの。友人のよしみで、一、二度ならば、あなたたちを保管所に入れてくれると思うわ。レポートの中身はあなたたちに任せるけれど、ソーン・ミニチュアルーム関連のテーマで、ということで、どう？」

ルーシーとジャックは、顔を見あわせた。罰《ばっ》を受けるとばかり思っていたのに、またとないチャンスをもらえるなんて！　もしかしたら記録保管所には、探してる情報があるのかも——。

ルーシーはランチを食べに教室を出ようとして、ふと足を止め、ビドル先生のほうをふりかえった。「ありがとうございます、ビドル先生」

ビドル先生は、ほほえんでくれた。

16

調べものと鳴りひびく鈴

ルーシーとジャックは、三つの課題をかかえることになった。レポートと、ソフィーの日記を訳してくれる人を探すことと、ミスター・ベルのアルバムをどうするか考えることだ。

レポートは、いちばん楽そうだった。次の金曜日の放課後と土曜日、大人のつきそいつきという条件で、ビドル先生がシカゴ美術館の記録保管所で調べものをする予約を入れてくれたのだ。つきそいには、ルーシーの父親が喜び勇《いさ》んで名のりでた。

「きっと調べものが楽しくてしかたなくなるぞ、うん」木曜の夕食の席で、ルーシーは父親からそういわれた。今回は特別なのだ、とはさすがにいえなかった。血の通った過去の人間に実際に会った、という事実がなければ、調べものなどとても楽しめないだろう。「調べものは、歴史をよみがえらせるんだ」と、力説する父親に、ルーシーはほほえみかけた。ああ、パパが本当のことを知っていればいいのに！

ソフィーの日記の翻訳《ほんやく》は、最初は難題だと思われた。フランス語教師のルーシーの母親ならば楽に訳せるだろうが、頼《たの》むわけにはいかない。日記をどこから手に入れたか、根ほり葉ほりきかれることになるだろう。

そのとき、ルーシーはいいことを思いだした。ようやく父親にミセス・マクビティーが本を持ってきたことを伝えたとき、はたと気づいたのだ。ミセス・マクビティーは、フランス語をしゃべれる。そうだ、ミセス・マクビティーに頼めばいい！　ルーシーとジャックはさっそく、日曜日にミセス・マクビティーの店をたずねる計画を立てた。

最後に残った、いちばん重要な課題は、月曜日まで手をつけられない。運がいいことに、今月は二月なので、月曜日は大統領誕生日で学校は休みだ。ふたりは、その日にアルバムをミスター・ベルに返しにいくことにした。ただし、なんといってわたすかは、まだ決めてない。先にミスター・ベルの娘《むすめ》のキャロライン・ベルに持っていく案も考えたが、少し危険すぎるように思えた。会ったこともないし、どんな反応が返ってくるか、予想がつかない。

「うまい口実を考えなくちゃね。どうやって手に入れたか、ありのままを話すわけにはいかないし」ルーシーが顔をしかめ、「話したところで、どうせ信じてもらえないさ」と、ジャックがつづけた。

ルーシーの父親はシカゴ美術館の記録保管所に入れてすっかり興奮《こうふん》し、遊園地に来た子どものようにふるまっていた。

ルーシーとジャックは、なにをどうしたらいいのか、さっぱりわからなかった。記録所の学芸員が閲覧用《えつらんよう》の資料を大量に運んできたときには、山のふもとにいて、これから山登りを始めようとしている気分になった。学芸員によると、ファイルと書類をのぞいた図面だけで、五百六十九枚もあるという。

「あの……ファイルや書類は、どのくらいあるんですか?」ジャックが、たじろぎながらたずねた。

学芸員が、ジャックに向かってほほえむ。「たくさんよ」

ルーシーとジャックは、講義録、設計図、スケッチ、受領書、インタビュー記録を丹念《たんねん》に見ていった。それだけで、何時間もかかった。さらにルーシーの父親まで、作業にくわわった。「おおっ、ルーシー」父親は興奮しっぱなしで、声をあげつづけている。「これをごらん!」

レポートは好《す》きなように書いていい、とビドル先生にいわれていたので、ルーシーとジャックはむだを省《はぶ》くことにし、ふたりが入ったメインルームについて——とくに、クリスティナの日記のあるE1、ソフィーの日記のあるE24、トマスが作ったメイフラワー号の模型《もけい》があるA1について——できるかぎり情報を集めることにした。ソーン夫人がどうやって日記や模型を手に入れたか、その手段がわかれば、謎《なぞ》の答えが見つかるかもしれない。

役に立つ情報を得るには、書類を手早く見るしかない。ルーシーはすぐにそう気づき、ページをめくる手を早めた。

ジャックは記録係をつとめた。ジャックならばそれほど苦労《くろう》せずに、メモをレポートにまとめられるだろう。文章を書くのが苦にならないのだ。

ルーシーとジャックは、とても使えそうにない細かい情報がぎっしりつまった種々雑多な書類に目を通しながら、金曜の放課後を記録保管所ですごした。閉館時間がきて家にもどるころには、やる気をなくしていた。

「大変な作業だな」車で家に帰るとちゅう、ルーシーの父親がいった。「ビドル先生は、ふたりがこの作業をちゃんとしたレポートにまとめられると思っているわけか。ふたりとも、すごいじゃないか。明日の朝、また元気にやろうな」

「ありがと、パパ」ルーシーは、力なくいった。

その晩、ルーシーは食事の席でしゃべらなかった。論文や資料や図面を大量に見たせいで、マッシュポテトを見ても、目の前にそれがしつこくちらつく。思った以上に疲《つか》れていて、いつもより早くベッドに入った。こんなジェットコースターのような一週間は、生まれて初めてだ。できることなら明日は、記録保管所に行きたくなかった。行きづまったら、どうする？　時間のむだだとしたら？　大量のファイルの書類に一枚残らず目を通しても、なんの収穫《しゅうかく》もなかったら？　あの魔法《まほう》の品々をソーン夫人がどうやって手に入れたか、結局わからなかったら？

結局、考えるのはよそうと自分にいいきかせ、皿を洗いながらしゃべっている両親の声に耳をすませた。

「まだ、あの子にはいいたくないわ」母親の声がした。「決まったわけじゃないし」

「うん、そうだな」と、父親。「もう二、三日、待つとするか」

いったい、なんの話？　気になったが、ルーシーは疲れきっていて、深く考える前に眠りの世界に引きずりこまれ――ほぼ一晩中、夢を見た。

最初はまどろんで、夢と両親の声がまざりあった。ほどなく目の前にビドル先生があらわれ、宿題はジグソーパズルを完成させることですよと、ルーシーに一千万個以上のピースが入った箱をわたした。ルーシーは、ピースをつなぎあわせようとした。けれど小さいピースに触《ふ》れるたびに、そのピースがはげしくはためく紙になる。まるで、嵐の中に足を踏《ふ》み入れたみたいに。

ただし雨ではなく、うず巻く紙の洪水《こうずい》に、おぼれそうになる。大量の紙が四方八方から押《お》しよせてきて、ときには顔を打たれ、目が見えなくなった。いくらどけても、次から次へと紙があらわれる。そこへジャックが、ゴキブリと戦うときに使った大きな燭台《しょくだい》をかかえながら登場し、その燭台で紙をはたいてどけた。ようやく、紙の嵐がおさまった。

気がつくと、庭の中にぽつんとひとりでいた。花が咲きあふれているのではなく、すべての植物の茎《くき》の先に、きらめく小さな鈴《すず》がついている。その小さな鈴が、最初は一部だけが鳴り、やがていっせいに鳴りだして、美しいシンフォニーを奏でた。クリスティナの日記の前に立っていた時のような音だ。ただしここでは、目に見えない魔法がどこかで鳴っているのではなく、鈴が鳴っているのだとわかる。まちがいない。鈴、鈴、鈴――。

その鈴の音にようやく心がやすらいで、ルーシーは静かでおだやかな眠りについた。

なにごとも朝になれば良くなっているように見えるものよと、ルーシーの母親はいつもいう。今朝《けさ》は、そのとおりになった。朝、目がさめたルーシーは、また記録保管所に行く気になっていた。謎《なぞ》の答えは見つからないかもしれないが、一晩ぐっすり眠ったあとだと、もう一回やってみようという気になる。

ルーシーと父親はジャックを車でひろい、開館時間には美術館にいた。それぞれ作業を進めながら、ルーシーはミラノの公爵《こうしゃく》夫人クリスティナについて父親にたずねた。

「ああ、クリスティナか。すばらしい歴史上の人物だ」父親は、目を輝《かがや》かせながらこたえた。ルーシーが歴史に関する質問をすると、どんな質問でも喜ぶのだ。「なかなか手ごわい女性でもあるぞ」

「どういうこと？」

「クリスティナは、世界最強の権力者のひとり、イングランド王のヘンリー八世に求愛されていたんだ。ヘンリー八世は前妻の首をはねたばかりで、次なる妃《きさき》を探していた。当時、クリスティナは十六歳《さい》で、未亡人だった」

ルーシーは、じっと聞いていた。日記で読んだ内容と合っている。クリスティナが読んでくれたとおりだ。

「写真などなかった当時は、肖像画《しょうぞうが》が写真がわりでな。ヘンリー八世はクリスティナの肖像画を見て、結婚《けっこん》を申しこんだんだ。ところがクリスティナは四番目の王妃《おうひ》になる気などなく、こういったんだ。もしわたくしに頭がふたつあるならば、危険を承知でお受けいたしますが、あいにくひとつしかありませんので、ってな」ルーシーの父親は、軽く笑った。

「クリスティナは、英語を話せたの？」

「ああ、もちろん。おそらく、いろいろな言語を流暢《りゅうちょう》にしゃべれただろう。なにせ、貴族階級だったからな。英語を使う機会は、かなりあったはずだ」

「クリスティナって、デンマーク出身ですよね？」ジャックが、それまでは手に持った書類にひたすら没頭《ぼっとう》していたのだが、クリスティナの日記に書いてあった事実を思いだして、たずねた。

「ああ、そのとおりだ。よく知っていたな、ジャック」ルーシーの父親は、ジャックが受け持ちの生徒であるかのような口調でいった。

「じゃあ、これは意味があるんじゃないか、ルーシー」と、ジャックが真剣な面持《おもも》ちで、ルーシーに一枚の紙をわたした。

その書類のどこにジャックが意味を見いだしたのか、ルーシーはつきとめるまでに少しかかった。書類は、ソーン夫人が、ミニチュアルームのためにやとったA・W・ペダーソンという職人とともに受けたインタビューの記録だった。それによると、ペダーソンはデンマーク生まれで、ソーン夫人おかかえの職人として重宝されただけでなく、ソーン夫人がアンティークのミニチュアを見つける手伝いもしていたらしい。ジャックは、ソーン夫人がペダーソンからもらったミニチュアのリストまで、見つけていた。

そのリストの中に、一冊の革製の本と、その本の鍵《かぎ》もふくまれていた。クリスティナの日記と鍵と、特徴が一致《いっち》している。その項目には「この品々の取りあつかいには、特別に注意すること」というメモが添《そ》えてあり、ペダーソンはインタビューの中で、この二点は初めてあつかったアンティークのミニチュアで、百年以上前にデンマークにいた少女のドールハウスのものだ、と語っていた。この二点には、はるか後まで残る強力な〝魔法《まほう》の力〟がある、と語ったペダーソン本人の言葉も引用されていた。

「これよ、ジャック！　クリスティナの本は、きっとこうやってたどりついたのよ！」

「クリスティナの本？」ルーシーの父親がたずねる。

「ああ、それは……あたしたちが、そう呼んでるだけ。E1ですごくステキな本を見かけて、どこから来たんだろうって思うようになって。E1にはクリスティナの肖像画《しょうぞうが》がかかってたから、クリスティナの本って呼ぶことにしたの」もっともらしく聞こえますように、とルーシーは祈《いの》る思いだった。

その祈りが通じたのか、父親がいった。「これで、調べものがどんなものか、わかったな！」

この、ささいだが重要な情報がはげみとなって、ルーシーとジャックは作業をつづけた。役に立ちそうにない情報がつぎつぎと、目の前を通過していく。それでも午前中がすぎていくにつれ、どんどん情報を集め、少しは謎《なぞ》の答えを引きだせるようになった。

たとえば――。ソーン夫人はユージーン・クジャックという名の職人をやとって、アメリカコーナーのミニチュアルームをいっしょに作った。小さいラグや織物の刺繍《ししゅう》を完成させたのは、この職人のいとこにあたるリー・マイシンガーという若い女性だった。クジャックはすべてを書類に書きのこしていて、膨大《ぼうだい》なリストも残っていた。その大半は、クジャックが買いもとめた品と、家具の寸法だった。

クジャックがボストンの古美術商から受けとった一通の手紙も、見つかった。手紙には、かなり独特なメイフラワー号のアンティーク模型《もけい》について書いてあった。その模型は、作り主であるトマス・ウィルコックスという男性の子孫の遺品《いひん》として手に入れたという。手紙によると、ウィルコックス一家は一六九八年にボストンに移住し、ニューイングランド一の模型船を作る事業を始めていた。

それを読んで、ルーシーはほっとした。あたしとジャックが立ちよったせいで、災《わざわ》いがふりかかることにはならなかったのね――。

手紙には、トマスが十八世紀初頭に発明家となったことも書いてあった。〝男性〟〝発明家〟

という単語を目にして、ルーシーとジャックは思わず顔を見あわせた。トマスは、充実した人生を送ったのだ！　ルーシーは、心の底からぞくぞくしてきた。トマスは大人になった。発明家になった。子孫もいた！

「サイコーだな。マジで、サイコーだ！」ジャックは、そういうのがやっとだった。

手紙の末尾には、ソーン夫人の筆跡《ひっせき》で、この模型船《もけいせん》がトプスフィールドの部屋を作る動機となったことや、模型船が部屋を活気づけてくれるだろう、ということが書いてあった。

この最後の事実を理解したとたん、ルーシーの頭に別の疑問がわいてきた。模型船は、どうやってミニチュアになったのだろう？　手紙は古美術商からのものであって、ミニチュア業者からのものではない。

ルーシーはジャックを見て、たずねた。「ねえ、同じこと、考えてる？」

ジャックは、うなずいた。「うん。どうやってメイフラワー号を小さくしたんだろう？」

そこへ、ルーシーの父親が口をはさんだ。「どれもこれも、どうやってあんなに小さく作ったのか、わからんよ。いやはや、すごい技術だな！」明らかに、ルーシーとジャックの会話の本当の意味をわかっていない。

ふたりの疑問は、どうやってトマスの模型船が小さくちぢんだか、ということだ。謎《なぞ》の答えはまだ見つからない。だんだんルーシーは、永遠に見つからないような気がしてきた。

その日のうちに、ミニチュアルームの品々は二種類にわけられることがはっきりした。ソーン夫人が世界中から集めたアンティークと、ソーン・ミニチュアルーム専用に一九三〇年代と四〇年代に作られた品々だ。正確なリストとレシートが保管され、ファイルされていたので、すべてのミニチュアの出所がつかめた――ヨーロッパコーナーの部屋にある、一部のかなり特《とく》殊《しゅ》な品々をのぞいては。

ソフィーの日記に関しては、ソーン夫人に秘密があることが、午後の早いうちにわかった。ルーシーは、ソーン夫人が好《この》んでミニチュアを仕入れていた秘密の店がパリにあることを、カタログで読んで知っていた。ルーシーとジャックはその店についてくわしく知りたくて、書類を懸命《けんめい》に探したのだが、ソーン夫人は「パリにかなり古い小さな店を見つけた」ことと「その店が、正真正銘《しょうしんしょうめい》の〝魔法《まほう》の〟ミニチュアを売っている」ことしか明かしていなかった。この謎の古美術商から手に入れた品のリストには、E24の部屋の品々もふくまれていた。そのひとつ、〝鍵《かぎ》つきの日記がしまってある、ルイ十六世様式のライティングデスク〟は、稀有《けう》なミニチュアのみが備えた〝特殊な力〟を持つ、極上の品にあげられていた――「こういったミニチュアは、真の意味で部屋を活気づけてくれるでしょう」。

ルーシーは、その文章に目をとめた。ソーン夫人は、トマスの模型船《もけいせん》にも同じ言葉を使っていた。活気づける、と――。

「ねえ、パパ、部屋を活気づけるって、どういう意味？」

「その部屋に命をふきこんで、本物のようにする、という意味だよ」

ルーシーは、重要な発見をしたことに、すぐに気づいた。ソーン夫人が〝特殊《とくしゅ》な力〟と呼んでいるのは、「本物のようにする力」にちがいない。そもそもルーシーをあの部屋に引きつけたのも、同じ力だったのだ。

デンマークにいた少女のドールハウス、トマス・ウィルコックスの子孫、パリの秘密の骨董店《こっとうてん》。魔法《まほう》の品々の入手ルートについてたどれたのは、ここまでだった。氷山の一角にすぎないことは、ルーシーもわかっていた。結局のところルーシーとジャックは、数ある部屋のほんの一部を体験したにすぎない。記録によると、ふたりがたまたま見つけた品以外にも、魔法の品はたくさんあるらしい。ほかにどんな品に、過去の秘密がいまなお息づいているのか？　ルーシーは、知りたくてたまらなくなった。とにかく、ミニチュアルームの品々の出所はわかった。でも、どのようにして、どうして魔法の品となったのかは、謎《なぞ》のままだ。

ソーン夫人と、夫人のやとった職人たちは、ルーシーとジャックを過去にみちびいた魔法のことを知っていたのか？　ソーン夫人自身が魔法を体験したことは？　ソーン夫人も職人たちも〝魔法〟と〝特殊な力〟に触《ふ》れているが、こういった表現は言葉のあやとしてよく使われる。ミセス・マクビティーも、ルーシー宅にやってきてスープを温めてくれた日に、〝魔法〟という言葉を使ったではないか。

いや、ミセス・マクビティーは本当に、言葉のあやとしていっただけ？　それとも、もしかしたら――なにせ、かなり変わった人だし――。

ルーシーとジャックは、明日、ミセス・マクビティーをたずねるつもりだった。

17

ほこりだらけの古い店

いままでルーシーがミセス・マクビティーの店を訪《おとず》れたときは、いつも父親がいっしょだった。父親が古い書物に目を通すあいだ、ルーシーは店内をうろついて、売り物の品々を見てまわった。ピカピカの品でも、ほこりだらけの品でも、見分けのつく品でも、初めて見る品でも、アンティークを手に取るのはすごく楽しい。ミセス・マクビティーはいつもルーシーのために、銀の器《うつわ》にキャラメルをたくさん入れておいてくれた。

日曜の午後――。ルーシーとジャックは、昼食のすぐあとに、ミセス・マクビティーの骨董《こっとう》店《てん》を訪れた。営業時間は、一年中、午後の数時間のみ。あとは、特別な客から予約が入った場合だけだ。

窓ごしに、ミセス・マクビティーが暖かみのあるランプの黄色い光で本を読みながら、奥の心地よさそうな古いイスに座《すわ》っているのが見えた。ルーシーとジャックは、玄関《げんかん》の呼び鈴《りん》を

鳴らした。店は、いつも鍵《かぎ》がしまっている。ミセス・マクビティーは顔をあげ、ルーシーの姿をみとめると、しわだらけの顔にとろけるような笑みをうかべ、イスのそばのボタンを押《お》して、ふたりを招きいれた。

かなり細長い、きゅうくつな店だ。床《ゆか》から天井《てんじょう》まで、たわんだ書棚《しょだな》がならんでいて、年代物の本のにおいがする。いちばん奥にドアがあり、ルーシーはその向こうの倉庫に何度か入ったことがあった。そこも床から天井まで、まだ仕分けのされていない五十年分の箱がぎっしりとつまっている。店のほかの部分とちがって、倉庫はぐちゃぐちゃだ。店には、アンティークがあちこちに置いてあった。陶器《とうき》、銀食器、小さな青銅《せいどう》製品、大理石の像。ミセス・マクビティーにいいさえすれば、なんでも手に入る。

「おやおや、よく来たねえ！」

ルーシーは、なにも引っくりかえさないように気をつけながら、せまい通路を進んでいき、ミセス・マクビティーに軽く抱《だ》きついた。「こんにちは。こんなに早く来るなんて、思ってなかったでしょ」

「わたしがどんなことを期待しているか知ったら、さぞ驚《おどろ》くだろうよ」ミセス・マクビティーはゆっくり立とうとしながら、謎《なぞ》めいた言葉を口にした。イスから完全に立ちあがると、老眼《ろうがん》鏡《きょう》の縁《ふち》ごしにジャックを見た。「こちらのお若いのは、どちらさんかい?」

「ジャック・タッカーといいます。あたしのクラスメートなんです。いま、いっしょにレポートを書いているんです」

「おや、そうかい」ミセス・マクビティーは、ジャックをじろじろと見た。「タッカーさんだね? お母さんは画家かい?」

「あっ、はい」ジャックは、驚《おど》ろいていた。ジャックの母親は、有名な画家ではない。

「おまえさんは、優秀《ゆうしゅう》な学生さんかい?」ミセス・マクビティーが、片方の眉《まゆ》をつりあげながらたずねた。

「まあ、たいていは。とくに、歴史は得意です」

「よろしい。歴史は、いちばん大切な科目だよ」ミセス・マクビティーは読んでいた本をしまうと、テーブルに置いてあったキャラメルの器《うつわ》を持ちあげ、笑顔でふたりにすすめた。「さあて、おふたりさんがここに来た理由はなにかい? わたしに見てもらいたいものがあるんだろう?」

「どうしてわかるんですか?」と、ルーシー。

「ほかに、どんな理由があるというんだい?」ミセス・マクビティーは、ちゃめっけのある目つきをしていた。「どれどれ、見せてごらん」

例の日記は、ジャックが古い枕《まくら》カバーにつつんでいた。ジャックは枕カバーごと、バックパックからそうっと取りだし、枕カバーをはずして、ミセス・マクビティーにわたした。

古い日記を見た瞬間《しゅんかん》、ミセス・マクビティーの表情がさっと変わったことに、ルーシーは気づいた。なにを思ったのかわからないが、ミセス・マクビティーは感情をすばやくかくした。

「おやおや、これは……おや、まあ!」ミセス・マクビティーは目をつぶり、革製の本を両手でなでた。見た目はもちろん、手ざわりからも、本について学べるらしい。つづいて、においを嗅《か》いだ。「うん、うん……」

ルーシーは、ミセス・マクビティーの表情から年齢《ねんれい》が消えたような気がした。ほんの一瞬、いまより若くなったように見えたのだ。

ミセス・マクビティーが、そっといった。「こういったものが目の前にあらわれたのは、すごく久しぶりだ。本当に、久しぶりだよ」首から鎖《くさり》でぶらさげた華美《かび》な金の時計を持ちあげ、時間を確認し、ルーシーを見ながら声をかける。「ドアに閉店の札《ふだ》をかけてくれないかい?邪魔《じゃま》が入ると、いやだからねえ」

閉店

ミセス・マクビティーは、ランプの光が当たるイスのとなりのテーブルに、日記を置いた。「さあて、見てみようかねえ」最初のページをひらき、華麗《かれい》なフランス語の文字をすらすらと読んでいく。「これは、おもしろい……ふうむ……ほう」数分間はそれしかいわず、そのあとは没頭《ぼっとう》して、イスの背によりかかった。

ルーシーとジャックは待つしかなく、だまってキャラメルを噛《か》んでいた。

さらに何ページも読んだあと、ようやくミセス・マクビティーが顔をあげ、老眼鏡《ろうがんきょう》の縁《ふち》ごしに、鋭《するど》いまなざしでジャックを見つめた。「おまえさん、この日記を、どうやって手に入れたんだい？」

ふたりはあらかじめ作り話を考えていた。ジャックがそれを口にする。「うちの母さんの友だちで、旅行するとかならずおみやげを持ってきてくれる人がいるんです。その人の、つい最近のフランスみやげです。パリのフリーマーケットで買ったっていってました」

ジャックの母親に、パリのフリーマーケットでおみやげを買ってきた友だちがいるのは事実だ。だからこそジャックは、これならもっともらしいウソになる、と考えたのだった。

「おや、そうかい」と、ミセス・マクビティーは日記に視線をもどした。

ミセス・マクビティーはジャックの言葉を信じていない。ルーシーは確信した。これっぽっちも、信じていない！

「あたしたち、学校のレポートを書いてるんです」ルーシーは、つけくわえた。「この本のことも、レポートに書けるかなと思って。でもそれには、内容がわからないといけないんで」

「おや、そうかい」ミセス・マクビティーはまたしてもそれしかいわず、日記に没頭して読みつづけた。

ふたりがキャラメルをいくつもなめおわるころになってようやく、ミセス・マクビティーが顔をあげて、ルーシーを見た。「そのレポートとやらでは、かなりの冒険《ぼうけん》をしてきたようだねえ？」

ルーシーは、どういう意味かわからなかった。「えっと、あの、調べものはいろいろとしましたけど」

「おや、それだけじゃなかろうに」ミセス・マクビティーは、ふたりがなにかいうのを待っていた。

しかしルーシーもジャックも、ミセス・マクビティーがどんな言葉を待っているのか、わからなかった。

「あの、そこに、なんて書いてあるんですか？」とうとう、ルーシーがたずねた。「日記ですよね？」ミセス・マクビティーに、もっと説明しなくてはいけない気がしてきた。「あの、あたしたち……ジャックとあたしは、フランス革命のころの日記にまちがいないって思ってるんです。それと、ソフィー・ラコンブという名前が書いてあったって……。でも、わかっているのは、それだけです」

「どちらも、その通りだよ。けれど、ここに書いてあることについて、ふたりとももっと知っているんじゃないのかい。ほかにどんなことが書いてあると思う？」

これには、ルーシーもジャックもすっかりまごついた。どういう意味だろう？　なんで、そんなに謎《なぞ》めいたことを？

「えっと、あのう……ソフィーという名の女の子の話が書いてあるんじゃないかって思ってます」ルーシーは、用心しながらつづけた。「文章が、ページのとちゅうでプツンととぎれてるので……ソフィーの身になにかあったんじゃないかなって」

すべて、事実だ。

「それは、じつに興味深いねえ。その通りだよ。とても古い本だ。さらにいわせてもらうと、とても貴重な本だよ……もし、売る気があるのならば」

ルーシーとジャックは、顔を見あわせた。そんなことは、思ったこともない！

「売る気なんて、これっぽっちもありません」ジャックが、強い口調でいった。

「ああ、ああ、そうだろうとも。おまえさんの本じゃないから。そうだろう？」ミセス・マクビティーの目が、レーザー光線のように、ふたりをとらえた。

「ミセス・マクビティーに見せようと思って、借りてきただけです」と、ルーシー。

ミセス・マクビティーは、身を乗りだした。「借りただけなのは、わかっているよ、かわいいルーシー。どこから取ってきたのか、話しておくれよ。正直に、本当のことを」

正直なところ、他人に打ちあけて、心がすごく軽くなった。ふたりとも機関銃《きかんじゅう》のようにまくしたて、気がついたら同時にしゃべっていた。鍵《かぎ》を見つけたこと、その鍵のせいでルーシーの体がちぢんだこと、鍵はルーシーだけに効き目があること、美術館で一晩すごし、ソフィーとその家庭教師に会ったり、ルーシーがミラノの公爵《こうしゃく》夫人クリスティナの声を聞いたりしたことや、トマスとその母親について、洗いざらいしゃべった。シカゴ美術館の記録保管所で仕入れた知識も明かし、ソフィーの身になにがあったのか、知りたくてたまらないのだと語った。

ミセス・マクビティーは、津波《つなみ》のように押《お》しよせてくる話を一言も漏《も》らさず、すべて聞いてくれ、ふたりが話しおわると手をたたいた。「おやまあ、すごいじゃないか！」

「えっ、信じてくれるんですか？　あたしたちのこと？」ルーシーはぎょうてんしていた。

「全部、百パーセント、事実なんです、ミセス・マクビティー。なんなら証明できますよ」と、ジャック。

「もちろん、おまえさんたちを信じるとも」ふいに、ミセス・マクビティーが大まじめにいった。

「その理由はいくつかあるよ。第一に、まさにこの日記だね！」物思いにふけり、心ここにあらずというようすで、少しのあいだ目をつぶってから、片手でまた革の表紙をなでていた。「長年本をあつかってきた経験から、この本は正真正銘《しょうしんしょうめい》、かなり古い本だってわかったよ。まちがいなく、フランス革命の時期の本さ。本のすばらしい点はね、語りかけてくるってことなんだよ。ときには、こっちが知っておくべきことを、つつみかくさず語りかけてくる。たとえば、この日記は、フランスの貴族階級に生まれた少女について語ってくれる。その少女は、いっさい不自由することなく、ぜいたくでたいくつな暮らしをしていた……パリの公園で、ふたりの若きアメリカ人に出会うまでは」ミセス・マクビティーはここで言葉を切り、いまの発言の重みをふたりに悟《さと》らせた。

ルーシーとジャックは、まったく同じ表情をうかべていた。ふたりとも目を大きく見ひらき、口をあんぐりとあけている。

「ああ、そうとも、ジャックとルーシーという名前の若者だよ」

「ソフィーは、どうなったんですか？　生きのびたんですか？」ジャックがたずねた。

「ああ、おまえさんたちのおかげで」ミセス・マクビティーがこたえる。「どうやら、おまえさんたちは、来たる革命について警告したようだねえ。なんて賢《かしこ》いんだろう！　ほら、これをごらん」と、日記の最後のページをひらく。「ページのとちゅうで文章がプツンと切れている、といってたねえ。けれど、この日記はここでちゃんと終わっているんだよ！」

ルーシーは息をのんだ。「ねえ、ジャック、これを部屋から持ちだす前、あたしが最後にとじたとき、手のひらが温かくなった気がしたの。まちがいなくソフィーが書いたのよ。それを、あたしが感じたのよ！」

「スゲー！」ジャックが感嘆《かんたん》の声をあげた。「ほかに、なんて書いてあるのかな？」

「その少女は、フランス革命の前からイングランドの修道院付属学校に行って、革命中もそこですごしたそうだよ」

「なんですか、その学校？」ルーシーがたずねた。

「修道女が経営している寄宿学校さ。ソフィーは、イングランドのヨークという町にある、数少ない修道院付属学校のひとつに入ったんだねえ。フランスの貴族階級が万が一にそなえて娘《むすめ》を寄宿学校に入れるのは、あたりまえのことだったんだよ。ソフィーは、家庭教師のことも書いてるよ。ムッシュー・ルシュウールという——」

「あっ、あたしたち、その人にも会いました」ルーシーが口をはさんだ。

「そのようだねえ。ああ、もう、なんてすばらしいんだろう！　その家庭教師について、いつかくわしく話しておくれ」ミセス・マクビティーは、すっかり興奮《こうふん》していた。「その家庭教師はフランス革命の前にフランスを離れ、長いことアメリカに行ってたんだ。旅について、ソフィーに何通も手紙を書き送っていたようだよ。で、ヨーロッパにもどってからは、また教師をつづけたんだけれど……ソフィーに話をもどそうねえ」ソフィーの人生を順番に語るミセス・マクビティーの話に、ふたりは聞きいった。

ソフィーは血なまぐさいフランス革命をのがれ、イングランドで暮らし、家族や友をギロチンで亡くしたあと、やがてひとりの青年と出会った。その青年も、ソフィーと同じようにフランスを離れ、イングランドにわたっていた。青年の場合は外交官になるためだ。ふたりは結婚《けっこん》し、外交官という仕事柄《がら》、アメリカをふくむ全世界を転々とした。そして、ソフィーが夫について別の国に旅立とうとしているところで、日記は終わっていた。

「じゃあ、父親が選んだ人と結婚しなくてすんだんだ！」ルーシーは、うれしくなった。

「そのようだねえ。ソフィーは、おまえさんたちに何年間も手紙を送りつづけたのに、一度も返事がこなかったと、悲しそうに書いてるよ。まあ、返事を出すなんて、どだい無理な話だけれど」

ルーシーは、いまの話をすべて理解しようとしながら、床《ゆか》に座《すわ》りこんだ。ソフィーは、うまく切りぬけた。血なまぐさいフランス革命を生きのびた！　しかも、あたしたちのことをおぼえていてくれて、日記にまで書いてくれた！

「あの、ミセス・マクビティー」ジャックが切りだした。「おれたちを信じる理由はいくつかあるって、いってましたよね。ふたつの理由はわかりました。この日記が正真正銘《しょうしんしょうめい》のかなり古い本だとわかったことと、ソフィーがおれたちについて書いていた内容ですよね。じゃあ、ほかの理由はなんですか？」

ミセス・マクビティーは、ルーシーを見た。「おまえさんの友だちは、人の話をよく聞く子だねえ。ああ、その通りだよ」ゆっくりと立ちあがり、部屋のほぼ中央にある書棚《しょだな》まで歩いていくと、一枚の白黒写真を手に取り、ふたりのところに持っていった。銀縁《ぎんぶち》のフレームの中で、ふたりの少女がほほえんでいた。どちらも、ルーシーとジャックぐらいの年ごろだ。「一九四〇年当時の、わたしと姉だよ」

ルーシーとジャックは、写真を見つめた。ルーシーには、とくに変わったところがあるようには見えなかった。

「背後に写っている建物は、ソーン・ミニチュアルームがボストンに来た時に展示されていた場所さ。わたしは、ボストン育ちでねえ。ちょうどソーン・ミニチュアルームを見に行った日の写真だよ。あそこは、わたしたちにとっても魔法《まほう》だった」

「それって、つまり……本物の魔法ってこと?」ルーシーは、またしても目を丸くした。

「ああ、そうだとも! おまえさんたちと同じように、わたしたちも鍵《かぎ》を見つけたんだよ。姉が、展示室とミニチュアルームの裏側《うらがわ》とをへだてている、カーテンの裏の床《ゆか》の上で。どうやって大人に見られないようにするか考えて、交替《こうたい》でミニチュアルームにもぐりこんだものさ。先にわたしが姉にミニチュアルームに入れてもらって、次はわたしが姉をミニチュアルームに入れて。おまえさんたちのように、手をつなぐという考えはうかばなかった。おまえさんたちのように大胆《だいたん》でも賢《かしこ》くもなくて、過去の人には一度も会わずじまいだった。あの日の午後、一回きりだよ。それでも、手に汗《あせ》にぎる体験だった」

「そのあと、どうなったんですか?」ルーシーは、どうしても知りたくなった。

「それで終わりだよ。臨時の展示だったから、二度と行けなかった。ソーン・ミニチュアルームはシカゴに移されたし、シカゴ美術館での永久展示が決まったのは一九五〇年代に入ってからだし。あの日の午後の記憶《きおく》は、少しずつうすれていった。完全に消えることはなかったものの、本当に現実だったのか、だんだん自信がなくなってきてねえ。三歳《さい》年上の姉は、子ども時代のたわいない空想なんかじゃないといっても、信じてくれなかった。わたしも、だんだん夢だったのかと思うようになって。古書の収集にいそしむようになったのは、そのせいなんだろうねえ。この日記のような本を、生涯《しょうがい》を通じて探していたのさ」

ルーシーは驚《おどろ》くと同時に、少し悲しくなった。「あの日、あたしの家でカタログを見て、あれは魔法だね、といったのは、本気だったんですか？」

「心の底では、本気でそう思っていたんだろうねえ。ミニチュアルームの中に入りこんだ体験は幻《まぼろし》だったって、ずっと自分自身にいいきかせていたんだけれど。でも、わたしが魔法という言葉を使ったとき、どういう意味かとたずねたおまえさんの口調に、感じるものがあってねえ。あのミニチュアルームのことを思いうかべたのは、じつに数年ぶりだった。わたし自身、どういうつもりでいったんだろうって、自問自答しないではいられなかったよ。

先週はずっと、子ども時代の思い出が、頭の中にうかんでねえ。いままでよりも、少しはっきりした思い出が……。それでも、自分の記憶を信じていいものかどうか、確信が持てないでいたんだよ。今日、おまえさんたちが、ここにやってくるまでは。ジャックが枕《まくら》カバーから日記を取りだして、それに目をとめた瞬間《しゅんかん》、ピンときた。ぜったい、見たことのある本だって。ああいう表紙は、なかなか忘《わす》れられないからねえ。おかげで、わたしはまちがいなくあの部屋に入ったんだって、思いだしたのさ」

「この魔法《まほう》がどうなっているのか、わかりますか？」ジャックがたずねた。「つまりですね、ミラノの公爵《こうしゃく》夫人クリスティナが、自分の姿をほとんど見られないようにするために、あの鍵《かぎ》を作ったことは知ってます。魔法が女の子だけに効くようにしたのも、まちがいないと思ってます。でも、わからないことがまだ多すぎて。たとえば、ソーン夫人か夫人のやとった職人たちが作った魔法はあるのか、とか」

「ほかにも魔法の品はあるのか、とか」ルーシーがつけくわえる。

「残念ながら、おまえさんたちのほうが、わたしよりくわしいようだ。けれどこの魔法には、信じることと望むことが欠かせない条件だと、わたしは本気で思っている。だれにでも効くってもんじゃない。おまえさんたちの話からすると、ソーン夫人は……あるいは、少なくとも職人のひとりは、魔法の鍵のことを知っていたようだねえ。ただし、もしおまえさんたちのいうとおり、女の子にしか効かない魔法だとしたら――」

ルーシーは、ミセス・マクビティーの話をさえぎった。「じゃあ、ソーン夫人は、きっと知っていた！」

「そうかもしれないし、そうじゃないかもしれない。けれど、知っていたと考えるのが自然だろうねえ」

「それならば、トマスの模型船《もけいせん》が小さくなった説明もつくぞ」ジャックも割って入った。

「その日記もよ」ルーシーがつけくわえる。「だんだん、つじつまが合ってきた！」

そんなふたりに、ミセス・マクビティーがほほえみかけた。「答えがすべてわからなくても、それで満足しないといけないよ」

「えっ、でも、真実を知りたいんじゃないんですか？」ルーシーは、またしても困惑《こんわく》していた。

「真実は、いつだって大切さ。けれど、謎《なぞ》だって人生の一部だよ。すばらしい一部だ。つねに知りつくすなんて、そうはいかないよ」ミセス・マクビティーはさらにつけくわえながら、ほほえんだ。「この年になると、すんなりとわかるようになるものさ」

ふたりはジャックの家にもどり、手早くレポートを仕上げようとした。すでにふたりとも担当項目は書いていて、ジャックがそれをまとめている。

キーボードをさかんに打つジャックをよそに、ルーシーはなかなか集中できずにいた。ミセス・マクビティーは、自分の記憶《きおく》を信じきれないまま、どうやって長い年月を生きてきたのだろう？　ミセス・マクビティーが真実を知る手助けができて、ルーシーはうれしくてたまらなかった。

しばらくすると、ジャックの母親のリディアがおやつを持ってきた。いつもの気さくなリディアとはちがい、今日はどことなくよそよそしいことに、ルーシーは気づいた。今日のリディアは電話をかけることもなく、むずかしい顔でファイルや書類をめくっている。納税時期の両親にそっくりだ、とルーシーは思った。ただし、いまは税金を納める時期ではない。ルーシーも、資金繰《ぐ》りに困った人の表情がわかるくらいには、大人になっていた。

「よし、できた！」ジャックが、印刷ボタンを押《お》しながらいった。「これで、成績挽回《ばんかい》だ！」

おやつのナッツ入りチョコレートケーキを一切れ口に放りこみ、「ほら」とルーシーにレポートをわたした。「チェックしてくれよ」

ルーシーが読んでいるあいだ、ジャックは母親の作業場へと向かった。電話が鳴り、ジャックが出て、リディアに代わる。ルーシーには会話が聞こえなかったが、お気楽モードだったジャックが肩《かた》を落としたのは見えた。ジャックを、母親のリディアが抱《だ》きしめている。

そのしぐさの意味が、ルーシーには痛いほどわかった。

レポートのチェックが終わるとすぐに、ジャックがルーシーを家まで歩いて送った。ジャックはずっと、いつになく静かだった。ルーシーはあえて、どうしたの、とはたずねなかった。本人が話したくなれば話すだろう、とわかっていた。

その晩、夕食のあと、ルーシーの両親は会議に出席することになっていた。両親が家を出る前、ルーシーはふたりにジャックのことを伝えた。

「もしジャックが遠くに引っ越さなくちゃいけなくなって、うちの学校に通えなくなったら、どうしよう？　あたしの大親友なのに！」泣きたいのをぐっとこらえた。「ジャックだって、引っ越したくないのに！」

父親がルーシーを抱きしめた。「よしよし、ほかのことを考えてごらん。きっと、なんとかなるから。いまにわかるから、な」

まったく！　どうして大人は、いつもそういうの？　ほかのことなんて、考えられるわけがないのに！

18

解決！

ルーシーには、夜が明けるのがやけにおそく感じられた。その晩は、寝返《ねがえ》りばかり打っていた。横向きに寝ていると、ミニチュアルームや音楽、ソフィーやミスター・ベルのアルバムを見つけたことなど、いいことばかり頭にうかんでくるのに、反対側に寝返りを打つと、ジャックが引っ越さなければならないことしか考えられない。ジャックと母親のリディアのこれからのことが、何度も頭にうかんでくる。

翌朝、目がさめきらない状態でキッチンに入っていったら、父親がパンケーキを裏《うら》がえしているところだった。母親は、新聞を読んでいた。

「今日は大統領誕生日で、休みだな！」父親が声をかけた。

「うん」ルーシーは昨晩と同じくむっつりしながら、イスに勢いよく座《すわ》った。父親がパンケーキの皿を置いてくれたが、食欲がない。

「あら、ルーシー、具合でも悪いの？」母親がたずねた。

「ううん、そうじゃないよ。ジャックのことが心配で、たまらないんだってば」不安が一気にふきだした。「もし家賃を払《はら》えないとしたら、なにも払えないってことでしょ！」すべてを説明して、そうしめくくった。「ジャックたち、どうすればいいの？　助けてあげなくちゃ！」

両親は、すばやく目配せをしあった。「そろそろ、いったほうがいいようね」と、母親。

「な、なにを？　なんの話？」自分の声が緊張《きんちょう》のあまり乱れているのがわかり、ルーシーは驚《おどろ》いた。

「あのな、ルーシー」と、父親が切りだした。「正式に発表されるまで、だまっているつもりだったんだが……きのうの晩、パパとママが会議に出たのは知ってるな？」

ルーシーはうなずいた。

父親がつづけた。「あれは、オークトン校の理事による特別な委員会だったんだ。じつは、ママが設けた委員会なんだ。で、リディアを助ける方法を探していたんだよ」

「でも、ジャックはもう奨学金《しょうがくきん》をもらってるよ」と、ルーシー。

「ほかにできることはないか、調べることにしたのよ。それでね、きのうの晩、解決策が見つかったの」これは、母親だ。

「なに？　なんなの？　ジャックは、あのロフトにいられるの？」ルーシーは、緊張感《きんちょうかん》に耐《た》えられそうになかった。

「去年、新校舎が建てられたわよね？」母親がつづけた。「旧校舎と新校舎をつなぐ、高くて長い、がらんとした壁《かべ》があるでしょ？　あの壁には壁画《へきが》がいるってことで、話がまとまったの。大きくて、値の張る壁画が。で、資金を出してリディアに描《えが》いてもらうということで、理事会のゴーサインが出たのよ。今日、会長が電話でリディアに連絡《れんらく》することになってるわ」

「それって、じゅうぶんな金額なの？」ルーシーは、こういった仕事の報酬《ほうしゅう》がどのくらいか、見当がつかなかった。

「まあ、いまの苦《くる》しい状況《じょうきょう》を切りぬけるには、じゅうぶんな額だ」と、父親。「ジャックとリディアの力になりたいと、けっこうな額を出してくれる家が何軒かあってな。しかも、学校の景観も良くなる。すべて、丸くおさまるぞ。おまえのママは天才だ」

ルーシーは母親のひざに飛びのり、抱《だ》きついて、「ありがとう、ママ！」と、母親をきつく抱きしめた。頭のてっぺんから、不安がふっと抜けていくのがわかった。

ジャックが迎《むか》えにきたとき、ルーシーはなぜ自分がこんなに機嫌《きげん》がいいのか、説明するわけにはいかなかった(ジャックにはなにもいうな、と両親に口どめされていた。委員会からリディアに連絡するのが先、というわけだ)。けれど、ふたりとも目の前に重大な使命があったので、自然とそっちの話をした。

ジャックは、キャロライン・ベルの古いバックパックとその中身を守るため、自分のバックパックの中にしっかりとしまっていた。ふたりはルーシーの両親に、図書館に行くのだ、とウソをついた。良いことをするための、最後のウソだ。

外は、凍《こご》えるような寒さだった。ミスター・ベルにどうやって写真をわたすか考えようと、しばらくコーヒーショップで時間をすごした。暖かい場所にいると、ほっとする。ルーシーは、ホイップクリームつきのココアを注文した。ジャックには小遣《こづか》いがないとわかっていたが、そのことはいっさいふれず、泡《あわ》だらけのココアを半分飲んで、残りをジャックにさしだした。

ジャックは最初、ミスター・ベルにアルバムをすぐに見せるべきだ、と考えていた。けれどルーシーは、この問題はすごく微妙《びみょう》でむずかしい、と感じていた。取りかえせるものならなんだってさしだす、といっていた写真を見て、ミスター・ベルがどう反応するか、わからない。見つけた場所についても、説明しなければならない。

ふいに、ルーシーが目を見ひらいた。「あっ、いいこと、思いついた！　先にミセス・マクビティーに会いにいこう！」

ジャックは残っていたココアをがぶ飲みすると、ルーシーを追って寒い外に出た。「どういうこと？　なんで、ミセス・マクビティーに？」歩道を早足で進みながら、ジャックがたずねた。

「ミセス・マクビティーの店で見つけたって、ミスター・ベルにいうのよ。店の奥の倉庫で見つけたって。倉庫には、ミセス・マクビティーが一度も見たことのない箱が山ほどあるでしょ。年中、遺品《いひん》の売り立てでいろいろと買ってるから、把握《はあく》しきれてないのよ。箱の整理を手伝っていてアルバムを見つけた、ってことにすればいい。ミセス・マクビティーなら、きっと協力してくれるわよ。信用できる人は、ほかにいないんだし。ミセス・マクビティーは、もう魔法《まほう》のことを知ってるわけだし」

それは名案だ、とジャックも賛成した。

ミセス・マクビティーは、いつものように店で本を読んでいた。ジャックは笑顔でバックパックからアルバムを取りだし、ルーシーとともに、そのアルバムがなにか、どうやって見つけたかを、いきなりしゃべった。

ミセス・マクビティーはエドマンド・ベルが何者かすぐに思いだし、その写真集がいかに貴重か、理解してくれた。「ああ、もう、ワクワクするねえ、ワクワクする」ルーシーとジャックにアルバムの魅力《みりょく》あふれる写真を見せてもらいながらそういうと、ふたりの作り話に喜んで協力すると約束し、ルーシーとジャックの作り話ができあがった。ミセス・マクビティーが、何年前かはいわないがだいぶ前に、後継《あとつ》ぎのいない偏屈《へんくつ》な老人の遺品《いひん》の箱をすべて買いとった。その箱の多くはがらくたで、一度もあけられることなく、積みあげられたままだった。だが、ルーシーとジャックが倉庫の整理を手伝うと申しでて、たまたまアルバムを見つけた――という話だ。

ミスター・ベルに会うために店を出る前、ルーシーはミセス・マクビティーに、三人だけの秘密がたくさんあるけれどかまわないのか、とたずねた。

「この年になると、おもしろいことやワクワクすることが、そうはないんだよ」ミセス・マクビティーは、にやりとしてこたえた。「おまえさんに頼《たの》まれなかったら、それこそがっかりしていただろうよ」

ルーシーがミセス・マクビティーに抱《だ》きついて、さようならとあいさつしているあいだに、ジャックはアルバムを自分のバックパックにしまった。そして、ふたりともコートのファスナーをしめ、外の寒さとミスター・ベルとの対面に備えて、心の準備をした。

ミスター・ベルのマンションの正面玄関《げんかん》のブザーを三回押《お》したとたん、ふたりは同時にあることに気づいて、顔を見あわせた。今日は、月曜日。当然ながら、ミスター・ベルは勤務中だ。街角のあちこちに積もった汚《きたな》い雪を飛びこえながら、ふたりは美術館に向かった。

ルーシーが小遣《こづか》いをココアに使ってしまったので、ふたりともバックパックをあずける料金を払《はら》えなかった。バックパックを持ったまま美術館には入れないし、ルーシーは大切なものを手荷物あずかり所の知らない人にあずけたくなかった。

「あたし、ロビーで待ってる」と、ルーシーは、大きなガラス戸のそばにあるベンチのひとつに勢いよく座《すわ》った。「ミスター・ベルを探して、あたしたちに会いにあがってこられるかどうか、きいてきて」

ベンチのとなりには、毛皮の襟《えり》がついたウールのコート姿の老婦人がひとり座っていた。ルーシーはバックパックをひざに乗せ、ダウンパーカーで温まりながら、かなり長いこと座っているような気がしてきた。美術館に人が入ってくるたびに、極寒の風が勢いよく吹《ふ》きつけ、少し体が冷えるのがわかる。ふだんは人間観察を楽しむのだが、いまはジャックがミスター・ベルを連れて、群衆の中からあらわれてくれるのが待ちどおしい。

ようやく、ジャックがあらわれた。ひとりきりだ。

「ミスター・ベルは？　どこ？」

「あと十五分は、持ち場を離れられないんだって」と、ジャック。「休憩《きゅうけい》に入ったら、あがってくるってさ。見てもらいたい、すごく大切なものがあるんだっていっておいた」

「じゃあ、せめてギフトショップでぶらぶらしない？」

ルーシーとジャックは、ミスター・ベルに会いそこなうことのないよう、神経質に時間をたしかめながら、ギフトショップをうろついたあと、わずか十分でロビーのもとのベンチにもどり、ミスター・ベルを待った。

先にジャックがぱっと立ちあがり、「ここです、ミスター・ベル」と、早足で近づきながら声をかけた。ルーシーも、すぐあとにつづいた。

「やあ、ルーシー」ミスター・ベルは、好奇心《こうきしん》をかくしきれない目をしていた。「いったい、なにごとだい？」

「こんにちは、ミスター・ベル。あたしたち、渡《わた》したいものがあるんです」ルーシーは、あたりを見まわした。混みあったロビーは、この瞬間《しゅんかん》にふさわしい理想の場所ではない。「あの、どこか、もっと静かな場所はありませんか？」

ミスター・ベルは、ますます興味しんしんという顔になった。「ついておいで」と、ルーシーとジャックを連れて、入り口の警備員たちの横を通りすぎた。警備員たちがほほえみ、ミスター・ベルの名前を呼んであいさつする。三人はそのまま正面の大階段へと向かっていったが、階段をあがったりさがったりはせず、ミスター・ベルを先頭に、階段の左にあるドアから、ほぼ真っ暗な、だだっぴろい空間に入った。ミスター・ベルが照明をつけた。ここは、ホールだ。

「こんな部屋があるなんて、知らなかったなあ」ジャックがいった。

「講演会に使われているんだよ。まあ、お座《すわ》り」

ルーシーとジャックは、後部の通路側の席に座った。ミスター・ベルは立ったままだ。

ルーシーが、ジャックのバックパックのファスナーをおろしながら、しゃべりはじめた。「あたしたち、あるものを見つけて、ミスター・ベルのものにちがいないって思ったんです」キャロライン・ベルのバックパックを取りだし、ミスター・ベルにちゃんと見えるようにかかげる。

最初は、ミスター・ベルの顔になんの変化もあらわれなかった。ルーシーは、じっと表情をうかがった。一、二秒後、ミスター・ベルの眉《まゆ》がわずかにあがり、なにかしゃべりたそうに口がひらいた。つづいてミスター・ベルは、いつもより深く息を吸い、同時に両肩《りょうかた》をあげ、片手を胸にあてて、そっとたずねた。「こ、これは……ひょっとして……?」

ルーシーもジャックもだまっていた。ルーシーはキャロラインのバックパックのファスナーをあけ、ミスター・ベルが中をのぞけるようにかたむけた。ミスター・ベルが手を伸ばし、ひとつひとつ、中身を出していった。算数の教科書、ノート、筆入れ、ピンクのヘアクリップ。そして、アルバム。

ミスター・ベルはアルバムをひらき、息をのんだ。同時に、その目に涙《なみだ》があふれてくる。ルーシーは、胸に熱いものがこみあげてきた。ジャックがルーシーを見て、とても満足そうに、ちらっと笑みをうかべた。

「ああ、これは……これは……」ミスター・ベルはやっとのことでそういうと、尻《しり》のポケットから白いハンカチを取りだし、涙をぬぐった。ゆっくりと腰《こし》をおろし、ずっと涙をぬぐいながら、アルバムをめくっていく。ルーシーとジャックは、ミスター・ベルがしゃべれるようになるまで、だまって待った。ミスター・ベルはアルバムをとじて、胸に押《お》しあてた。

「どうやって……いったい、どこに……？」それ以上は、言葉がつづかなかった。それでもふたりには、ミスター・ベルのいいたいことがわかった。

ルーシーがこたえた。「うちの家族の知り合いに、古美術をあつかっている人がいるんです。ミセス・マクビティーっていうんですけど。あたしたち、ミセス・マクビティーの倉庫の掃除《そうじ》を手伝うことになって、その倉庫の奥で見つけたんです。大量の箱の下敷《したじ》きになっていた箱の中に。ミセス・マクビティーによると、だいぶ前に遺品《いひん》の売り立てで買ったものだけど、何年前かははっきりおぼえてないって。ミセス・マクビティーの骨董品店《こっとうひんてん》には、がらくたや整理したことのない箱が山ほどあるんで」ルーシーは、緊張《きんちょう》のあまり、とりとめのないことをまくしたてているような気分になった。ああ、ジャックにしゃべらせればよかった。

「バックパックを見つけて、かっこいいなって思ったんです。なんとなく、レトロっぽくて」ジャックが説明し、少し間《ま》をあけ、ふたりの話を信じてもらえるように祈《いの》りながら、ミスター・ベルが事情をのみこむのを待った。「で、お嬢《じょう》さんのバックパックにちがいないって思ったんです。算数の教科書の表紙の裏《うら》に、名前が書いてあったんで。そのあとアルバムを見つけて、ミスター・ベルの話を聞いていたから、ああ、やっぱりって」

「とても、うれしいよ……きみたちには想像がつかないくらい、うれしくてたまらない。ああ、なんてお礼をいったらいいのやら」

ミスター・ベルは、なおもほおの涙《なみだ》をぬぐいながら、思い出にひたった。しばらく古い写真を見つめてから、ふたりのほうへ顔をあげる。「おかしな話なんだが、どうしてアルバムが消えたのか、わたしも娘《むすめ》もいまだにわからないんだ。キャロラインのバックパックの中にずっと入っていたなんて、信じられないし」

ルーシーとジャックはなにもいわず、説明しようともしなかった。作り話で押《お》しとおすつもりだった。

「どうやら、うちの娘は、だいぶ昔から真実をいっていたようだ……少なくとも、ある部分は」

「えっ、どういう意味ですか？」ルーシーがたずねた。

「母親が亡くなったとき、娘はかなりつらい思いをしてね。まだ七歳《さい》だった。あまりにも妄想《もうそう》がはげしいんで、精神科医に連れていったくらいだよ。わたしのアルバムが消えたあと、娘は自分のせいだといってね。体をちぢめて、ミニチュアルームに入りこめるなんて、作り話まで始めた。ミニチュアルームにアルバムを置いてきた、なんていいだしたんだ」ミスター・ベルは間をおいて、首をふった。「いやはや、信じられん！　娘がバックパックをなくしたのは知っていたが、勝手にアルバムを持ちだしたとは思いたくなかった。しかしバックパックとアルバムがいっしょに見つかったことからすると、そうだったんだろうな。母親の死を悲しんでいるのに、さらに追いつめるようなことはしたくなかった……」ミスター・ベルは、ため息をついた。こんなに深いため息を、ルーシーは聞いたことがなかった。「精神科医によると、子どもは悪いことが起きると、自分を責めたがるものなんだそうだ……」

ミスター・ベルがアルバムをめくっているあいだ、ルーシーはどう声をかけたものかと迷って、ジャックをちらっと見た。ジャックがくちびるに指を立てるのを見て、うなずく。

しばらくして、ミスター・ベルがふたりのほうへ顔をあげた。「アルバムを見たかい？」

「はい」とルーシー。「すごくステキだと思いました」

百パーセント事実をいえて、ほっとする。

「ありがとう！　キャロラインは、驚《おどろ》くどころじゃないだろうな。今晩、電話しよう」ミスター・ベルはそういうと、首をふってつけくわえた。「あの子は何年ものあいだ、ずっと、罪の意識を背負《せお》ってきたのか……」気持ちが高ぶって、声がうわずっている。

大人が子ども時代にしたことについて、ずっと罪の意識を持ちつづけるなんて――。ルーシーには、驚きだった。ミセス・マクビティーは、子ども時代に体験したことを理解したくて、生涯《しょうがい》を通じて本を探しつづけてきたんだっけ。みんな、答えのない疑問をかかえて、生きてるもの――？

「子どもは、しょっちゅうものをなくしますから。お嬢《じょう》さんも、もうそんなに後ろめたさは感じていないはずです」というルーシーの言葉に、ミスター・ベルはいままでいちばん明るく、ほがらかな笑顔を見せた。

「そうだね、ルーシー。娘《むすめ》は子どもを助けたい一心で小児科医《しょうにかい》になったんだと、わたしは思っているんだよ」ミスター・ベルはアルバムをさらに数ページめくってから、今度はジャックを見ていった。「きみには、とくにお礼をいわなきゃいけないね」

「えっ、おれに？」ジャックが驚いて聞きかえす。

「きみは、わたしのものをたてつづけに見つけてくれたようだから」ミスター・ベルは目をきらめかせ、「最初は美術館の鍵《かぎ》、次はアルバムを」と、片方の眉《まゆ》をつりあげて、つけくわえた。「うちの美術館で働いてもらうと、いいかもしれない。ネズミ捕りがいるようなんだ。ネズミのせいで、しょっちゅうセンサーが作動して、警備部はあたふたしているよ」

ジャックは、つとめて無表情でいようとした。ひょっとしてミスター・ベルは、このあいだの朝、センサーを作動させたのがじつはおれたちだったたって、知ってるとか？

ミスター・ベルが立ちあがった。「そろそろ、仕事にもどらないと。ジャック、ルーシー、きみたちには言葉ではいいつくせないほど、感謝しているよ」

ホールの外で、ミスター・ベルはふたりを強く抱《だ》きしめた。「これからは、頻繁《ひんぱん》に顔を合わせることになるな」

ミスター・ベルが声の届かない場所に遠ざかってから、ジャックがルーシーの腕《うで》をつかんでいった。「バレてるぞ！　週末にセンサーが作動した話を、警備部から聞いたんだな。おれたちの反応を、うかがってたんだ！」

「それはどうかしら。考えすぎなんじゃない？」ルーシーは、そう納得しようとしていた。

「ミスター・ベルの娘《むすめ》さんと、話してみるか？　キャロラインなら、ぜったい信じてくれるよな。自分だって、魔法《まほう》を体験したんだから」

「なにもいわない方がいいと思う。ミセス・マクビティーのお姉さんみたいに、全部自分の妄《もう》想《そう》だったって思いこんでいたら、どうするの？　話したところで、こっちの頭がイカれてるって思われたら？　精神科医に送りこまれちゃう！」

「それもそうだな。それに、もしミスター・ベルが本気で魔法が関係してるって思ってるなら、なにもいうはずないよな。イカれた男だって思われちまうし」ジャックの話は筋《すじ》が通っていた。

ルーシーに確実にいえるのは、アルバムが見つかって、キャロライン・ベルがきっと喜ぶ、ということだけだった。本人に会って、魔法について話してみたくなった。もしかしたらいつの日か、会って話せるかもしれない。けれどいまは、ミスター・ベルにアルバムを返しただけで満足だった。

ジャックが腕《うで》時計を見た。「家にもどって、母さんがミスター・ベルから話を聞く前に、こっちから話しておいたほうがいい。おれたちの話を信じさせないと」

ふたりともだまって、美術館をあとにした。ジャックの家に歩いてもどるとちゅう、ルーシーは数日前に見た夢を思いだし、ベルが鳴る音で終わった夢の話をジャックに打ちあけた。

「ミスター・ベルとキャロラインの謎《なぞ》を解いたことと、無関係じゃないな」

「そうよね。ミセス・マクビティーの謎も解いたわよね。すっごくいいことをした気がする」

「ああ。スゲー、いい気分だよな」

ジャックの家に着いたら、母親のリディアが笑顔であらわれた。ルーシーは、リディアが口をひらく前から、喜んでいるわけを知っていた。

リディアは少し前に学校から電話があったのだといって、委員会について説明し、こんなに大がかりな仕事をもらえて興奮《こうふん》しているのだ、と伝えた。ジャックは心底ほっとして、ミスター・ベルのアルバムのことや、たったいまアルバムをわたしてきたことを、うっかりいいわすれそうになった。

いい知らせばかりなので、リディアはアルバムを発見したことについて、ほとんど質問しなかった。「まあ、ホント？　ミセス・マクビティーの倉庫の中に？」ふたりの話を聞いたあと、そう問いかけただけだ。「探し物はいつもすぐ目の前にある、ってことだわね！」起こりそうもないことがたてつづけに起きたことに、首をふっている。「とにかく、お祝いしなくちゃね！」

リディアは炭酸入りアップルジュースのボトルを一本あけて、本物のシャンパングラス三個に注いだ。

グラスを持ちあげ、クリスタルガラスがぶつかりあう音に、ルーシーは魔《ま》法《ほう》の鍵《かぎ》がちぢんだり大きくなったりするときの音を思いだした。こんなにも大きな冒険《ぼうけん》の扉《とびら》をあけてくれた、魔法の鍵――。

ようやく自分にもわくわくするようなことが起きたんだと、ルーシーは心の中で乾杯《かんぱい》した。

19

残されたもの

ルーシーとジャックには、あと一回、冒険が待っていた。最後の仕上げの仕事だ。ソフィーの日記を返さなければならない。

火曜日の放課後、ふたりは美術館に行った。ミニチュアルームに入りこむのに、かなり苦労《くろう》しそうだった。火曜日は午後五時に閉館するし、ふたりとも四時前には美術館に行けない。しかも当然ながら、ミスター・ベルもいる。なにをしにまた来たのかと、ふしぎがられるだろう。ところが展示室に着いたら、ミスター・ベルはいなかった。別の警備員にきいたところ、ミスター・ベルは数日休みを取ったそうだ。

「今日はお祝いしたい気分なのよ、きっと」あたしだってそうするだろうな、と思いながら、ルーシーはいった。

「となると、かなり助かるな……ついでにこいつも、かなりの助けになるぞ」ジャックがポケッ

トから、木片のついた毛糸のかたまりらしきものを引っぱりだした。「きのうの晩に作ったんだ。ロープのはしご」ルーシーによく見えるよう、かたまりを少しほどく。母親の毛糸で作ったはしごで、段はつまようじだ。

「すごい、ジャック！」ルーシーは感心した。「サイズもぴったりじゃない！」

「カタログの階段を作る時間がないかもしれないし、チャンスを逃《のが》したくなかったんで。これなら、ふたりそろって部屋に入れるだろ」

ジャックがそこまで考えていたとわかって、ルーシーはうれしくなった。

ソフィーの日記は、すぐにもどせるよう、コートの内ポケットに入れてあった。けれど、問題はまだ残っていた。どうやって見られることなく、裏《うら》の廊下《ろうか》にもぐりこむか？　選択肢《せんたくし》はふたつ。11番ギャラリーの鍵《かぎ》を使って、フルサイズのままもぐりこむか。あるいは、だれにも見られなくなるまで待って、壁《かべ》のくぼみでミニサイズになって、ドアの下のすきまからもぐりこむか。どちらも、リスクはある。

ジャックはギャラリーの鍵と魔法《まほう》の鍵をそれぞれ片手に持って、待機した。運がいいことに、大半の客はすでに美術館を去っていた。

ルーシーはジャックを見てから、周囲をながめまわした。「ちぢめるんじゃない？　あとちょっと待てば」

一組の母親と娘《むすめ》が、角をまがって消えた。これでもう、展示室のふたりのいる側には、だれもいない。

「行こう、ジャック！」

ジャックが魔法の鍵をルーシーの手のひらに落とし、同時にルーシーと手をつないだ。気がついたらもう、ドアの下のすきまが、目の前に横たわっている。ふたりは、すばやく裏の廊下にすべりこんだ。

「はしごを吊《つ》るすために、大きくならないとな」と、ジャック。

ロープのはしごとともに、またフルサイズにもどった。ジャックが魔法の鍵をひろい、ふたりでソフィーの部屋をめざして廊下を走る。ジャックがはしごと同じく持ちこんだ針金製のフックで、小さなロープのはしごを下枠《したわく》から吊るし、安定しているかどうか、引っぱってたしかめた。はしごは、床《ゆか》まで垂《た》れた。ジャックが立ちあがり、自分の手仕事を愛《め》でる。

「そんなに時間はないんだからね」ルーシーが手をさしだしながら、ひそひそ声でいった。「鍵を貸して。手をつないで！」

ついさっきまであんなに小さく見えたはしごが、ミニサイズになったいまは、頭上のはるか上までのびている。ルーシーは、はしごを使うのが名案といえるのか、不安になってきた。「ジャックが先に行って」ジャックが先にのぼってくれれば、安心できる。のぼるリズムに慣れれば、はしごもそう悪くはなかった。下を見てはならないことは、おぼえていた。

ふたりがはしごをのぼりきったとたん、壁《かべ》の向こうから館内放送が聞こえてきた。「あと二十分で閉館となります」

ミニサイズのふたりはE24のメインルームのドアへと近づき、ルーシーが古いドアをわずかにあけて、のぞきこんだ。

「だれかいるか？」と、ジャック。

「ううん、だいじょうぶ」

先にルーシーがミニチュアルームに入り、ジャックがつづいた。ルーシーは部屋を見まわして、美しい日記をもとのつくえの上にもどした。すごく満ちたりた気分だ。ふたりそろって、バルコニーに出た。最後にもう一度、十八世紀のパリを見ておきたい。

「いま、ソフィーはどこにいるんだろうな？」

「あたしも、同じことを考えてた」

「おれ、持ってきたものがあるんだ」

「えっ、なに？」

ジャックがコートの内ポケットに手をのばし、例の弁当箱を取りだすと、ふたをあけ、自筆の手紙を取りだした。ルーシーはわけがわからず、ジャックを見つめている。

「これをヨーロッパコーナーの端《はし》まで持っていって、弁当箱ごと日本の部屋に置いてこようかと思って。説明のメモ書きみたいなものなんだけどさ。ミニチュアルームに入りこむ方法を知っている人がほかにもいるとしたら、念のため、おれたちが来たって、わかるようにしておこうかなって。不自然じゃない場所に置いておけば、もとからあったものじゃないなんて、だれも気づかないだろうし」

「グッドアイデアよ、ジャック！　でも、弁当箱を手放しちゃっていいの？　ジャックの持っているサイコーのもののひとつなのに」

「それはそうなんだけど、おれのものをミニチュアルームの中に置いておくほうが、もっとサイコーだろ？　のぞきこむたびに、おれはここに入ったんだって、実感できるわけだし」

「手紙には、なんて書いたの？」

ジャックは手紙を読みあげた。

この手紙を見ている人へ

シカゴ在住の小学六年生、ルーシー・スチュワートとジャック・タッカーは、魔法《まほう》の鍵《かぎ》を使ってミニチュアルームに入りこんだ。魔法の源はミラノの公爵《こうしゃく》夫人クリスティナ（E1参照）だと、ぼくらは考えている。これを読んでいる以上、あなたも魔法を体験しているわけだね。ぼくらの前にも、魔法を体験している人がいたんだよ。幸運を祈《いの》る！

ジャックが手紙の末尾に日付けを入れて署名し、ルーシーにも署名するよう、ペンをさしだした。「なあ、どう思う？　これ、置いていくべきかな？」

ルーシーは、一分ほど考えた。もし大人になって、これがすべて妄想《もうそう》かも、と思いはじめたとしても、見知らぬ少女がこの手紙を見つけ、ルーシーの居場所をつきとめて、会いに来てくれるかもしれない。これは、一種の保険のようなもの。というか、タイムカプセルを地面に埋《う》めるようなものだ。

「置いていこう」ルーシーは、署名しながらこたえた。

ヨーロッパコーナーの最後の部屋にあたるE31まで、ふたりで下枠《したわく》をえんえんとたどった。メインルームの左側のせまい部屋に入りこみ、より広いメインルームをのぞきこむ。

これまでの部屋とは、かなりちがう部屋だ。天井《てんじょう》は低く、床《ゆか》には畳《たたみ》が敷《し》きつめられ、ドアは和紙のふすまで、一面に満開の桜の枝が細かく描《えが》かれている。家具も低くて、平べったい。イスはなく、畳に直接座《すわ》る。話をするときは声をひそめ、必要なこと以外はいっさいしゃべらない、という印象を受ける。部屋のはるか奥、美しくて落ちついた枯山水《かれさんすい》の庭に面した場所に、漆塗《うるしぬ》りの黒くて低い書きものづくえがひとつ見えた。

「あそこに置こう」ジャックが、書きものづくえを指さした。「あそこなら、ぴったりだ」

「うん、置いてきて。あたしは、ここで待ってる」

ジャックが部屋の中にすべりこみ、書きものづくえの上に弁当箱をそっと置いた。手紙をたたんで、弁当箱の中に入れ、ふたをしめて、部屋を出る。

メインルームの脇《わき》のせまい部屋から、メインルームにつけ足した弁当箱に違和感がないか、ふたりでたしかめた。ジャックのいうとおり、ごく自然にとけこんでいて、何年も前からそこにあったかのようだ。

「閉館時間です」ガラスの向こう側から、館内放送が聞こえてきた。

「急ごう、ジャック。美術館にとじこめられたら、大変よ！」

下枠にもどり、はしごまで走った。

「はしごでおりる時間はないわ。飛びおりないと」

ジャックが了解して、片手をさしだす。ルーシーはつないでいないほうの手で魔法《まほう》の鍵《かぎ》を放りなげ、なにもない空間へと踏《ふ》みだした。

「ゲゲッ！」ジャンプのあと、フルサイズのジャックが魔法の鍵をひろいながらいった。「このやり方には、永遠に慣れそうにないな！」

「はしごを忘《わす》れないでよ」ルーシーが注意する。

ドアへと歩いていきながら、ジャックがはしごを丸めた。別々に、出なければならないかも――。だがドアに近づいた瞬間《しゅんかん》、ある音を耳にして、ふたりとも思わず足を止めた。だれかが錠《じょう》に鍵をさしこんでいる！

ルーシーは声をのみ、息を止めた。けれど、ドアが開くことはなかった。ふたりが聞いたのは、ドアに鍵がかかっているかどうか、警備員が調べた音だったようだ。ドアの向こうから、複数の声が聞こえてくる。

「ねえ、どうする？」ルーシーは、ひそひそ声でたずねた。「外に出て、目の前に警備員がいたら、どうする？　閉館前に出なきゃならないのに」

「こうなったからには……ドアの下をくぐるしかない」ジャックが、ポケットからふたたび魔法の鍵を取りだした。ルーシーの右手をつかみ、ルーシーの左手に鍵を落とす。ルーシーが鍵をにぎったとたん、ふたりはまた小さくなった。

カーペットとドアのあいだの細いすきまから、ミニサイズの頭だけをつきだして、二名の警備員が壁《かべ》のくぼみから離れるのをながめた。展示室には、もうだれも残っていない。けれど、二名の警備員はあいかわらずしゃべりながら、11番ギャラリーの入り口のすぐ手前に立っている。

ようやく警備員たちが、じゃあ、とあいさつして、立ちさった。美術館は、しんと静まりかえっている。

ルーシーとジャックはドアの下から這《は》いだして、もとの大きさにもどり、なに食わぬ顔で広い廊下《ろうか》に出て、こっそりとつま先で大階段をのぼった。

階段のてっぺんで立ちどまって耳をすまし、角をまがって正面ホールに出た。正面玄関《げんかん》まで、邪魔《じゃま》されることなくたどりつけるかも――。しかし当然ながら、玄関のそばに、戸締《とじま》りをしている数名の警備員がいた。ひとりの警備員が顔をあげ、閉館時間がすぎたのにまだふたりも残っていたのか、と明らかに驚《おどろ》いてたずねた。「きみたち、いったいどこにいたんだ?」

ふたりとも足を止めずに出口へと進みながら、ジャックが満面に笑みをうかべてこたえた。

「ソーン・ミニチュアルームです！」

ミシガン通りを通過するバスに乗った。日がしずむと同時に、窓の外の町の色が冬の夕暮れの寒々しい青色に変わった。ルーシーはコートを着たままくつろいだ姿勢で、ジャックを見た。ジャックは、だまって窓の外をながめている。

「ねえ、ジャック、鍵《かぎ》はどうする？」

「おれも、同じことを考えてたんだ」ジャックは一分ほど間《ま》をおいて、つけくわえた。「今日、あそこに置いてこようかと思ってたんだ。見つけた場所にさ。でも、ドアから出るのに、もう一度必要になった。持って出るしかなかったんだ」

「なんか、もう、あたしたちのものって感じよね」

レークショアドライブに沿って、ガタゴトと走るバス。とがった氷のかたまりが湖岸を覆《おお》っている、どことなく近よりがたい、凍《こお》ったミシガン湖。地平線からのぞいているほぼ円形の月が、こっちをにらみつけている大きな目に見える。ルーシーは、いまの自分の発言がまちがっているとわかっていた。早い者勝ちにしていい場合もあるが、魔法《まほう》の鍵はちがう。ジャックも、くつろいだ姿勢になった。

「鍵、どうしよう?」と、ルーシー。

「いつか、返さなきゃいけないよな」ジャックが淡々《たんたん》という。

「うん」ルーシーは、ため息をついた。

「見つけた場所とまったく同じ場所には、もどせないと思うんだ……あの廊下《ろうか》の床《ゆか》の上には。おれたちが見つける前に、ほうきに掃《は》かれたり、掃除機《そうじき》に吸いこまれたりしなかったなんて、驚《おどろ》きだよ。あの廊下の、どこか安全な場所にしまわないとな」

バスがまがり、ふたりの家の近所へと向かっていく。もうすぐ、ふたりの降りるバス停だ。

「ソフィーの日記と同じよね」ルーシーがつけくわえた。「あのミニチュアルームのものなのよね」

「できるだけ早く返すとしよう」ジャックの声には、あまり決意が感じられない。

ふたりとも、思いは同じだった。魔法の鍵を、すぐには返したくない。この冒険《ぼうけん》が終わったと納得してからでないと、返せない——。ふたりとも、まだ納得できないでいた。まだ、冒険が終わった気がしない。

こんなにおおぜいの人たちが、こんなにばらばらの理由で、それぞれ幸せをかみしめているなんて――。ルーシーには、生まれて初めての体験だった。

大親友のジャックは、引っ越さずにすんだ。

ミセス・マクビティーとエドマンド・ベルは、ルーシーのおかげで、うやむやになっていた過去の疑問に、折り合いをつけられた。

ルーシーは、近いうちにキャロライン・ベルと会って、キャロラインの過去の疑問も解いてあげたいと思っている。

ルーシーの両親は、娘《むすめ》のルーシーがバックパックを見つけ、それを正式な所有者にもどせたことをとても誇《ほこ》りに思い、幸せだった。姉のクレアまでも、妹のルーシーが〝集中力〟を発揮《はっき》できたことを喜んでいる。

意外なことにルーシーも、姉クレアに対する気持ちが変わっていた。こじんまりとしたマンションの、せまくてきゅうくつな部屋を姉とふたりで使っていることが、いまはもう気にならない。このうえなく美しい部屋で一晩すごしたあと、ルーシーはあることを悟《さと》っていた。担任のビドル先生ならば、それを〝洞察力《どうさつりょく》〟と呼ぶだろう。いくら絢爛豪華《けんらんごうか》な場所であっても、そこを特別にしているのは人間なのだ、と悟ったのだ。ソフィーやムッシュー・ルシュウールと会わなければ――ミラノ公爵《こうしゃく》夫人クリスティナの声を聞かなければ――トマス・ウィルコックスと出会わなければ――ジャックもいっしょにミニチュアルームに入らなければ――ルーシーは、すてきなものがあふれる美しい内装の部屋を訪《おとず》れただけにすぎなかっただろう。それがわかって、ルーシーはうれしかった。

ジャックはいろいろな幸せを感じていたが、中でも引っ越さなくて良くなって、心底ほっとしていた。

母親のリディアは、オークトン校の壁画《へきが》制作にすぐにとりかかった。これがきっかけとなって、さらに仕事が舞いこんでいる。

エドマンド・ベルはまたカメラをかまえ、カメラマンに復帰し、批評家たちに絶賛された。初期の作品が見つかったので、リディアはもっと大がかりな写真展にし、ミスター・ベルの作品をすべてそろえた回顧展をひらくよう、ギャラリーのオーナーを説得した。

こうして二カ月もたたないうちに写真展が開催《かいさい》され、おおぜいの観客とすばらしい評価を集めた。土曜の晩にひらかれたオープニングパーティーには関係者全員が招待され、ルーシーとジャックは見知らぬさまざまな人たちに写真を撮《と》られた。失われた写真を発見し、それを正当な持ち主にもどした二人組として、美術界ではちょっとした有名人になっていたのだ。これほど重要な芸術作品が眠っていた場所として、ミセス・マクビティーの骨董品店《こっとうひんてん》もマスコミに大々的にとりあげられ、第二、第三の眠れる宝を求めて、新たな客が日々訪《おとず》れている。

ミセス・マクビティーもギャラリーでのパーティーに招待されていて、ルーシー一家とともに出席した。ミセス・マクビティーは、大量の衣装がつまったクロゼットをかきまわし――いったい何年分の衣装が、つまっているのだろう？――美しい刺繍《ししゅう》のほどこされた、古くて値打ちのあるシルクのドレスを選んだ。小ぶりのハンドバッグも、やはり古くて値打ちのあるもので、金色のビーズとラインストーンが刺繍されている。

「また、これを着られるなんて、うれしくてたまらないよ」ミセス・マクビティーは、おしげもない称賛の言葉をにこやかに受けながらいった。「このハンドバッグは、姉のものでねえ。どこで見つけたのか知らないけれど、なんともいえず上品だこと。ねえ？」バッグについてないかいわれるたびに、そうこたえている。

パーティーにはキャロライン・ベルも父親とともに出席し、ルーシーとジャックとミセス・マクビティーとの対面をはたした。ミスター・ベルは、娘《むすめ》のキャロラインをドクター・ベルだと紹介《しょうかい》した。

「みなさんにお会いできて、本当にうれしいです」キャロラインは、優雅《ゆうが》にいった。父親と同じように背が高く、とても上品で、美しい。ルーシーは、キャロラインもとても幸せそうな顔をしていることに気づいた。「父の写真を見つけてくださって、本当にありがとうございます」

「見つけたのは、ルーシーとジャックですよ。お礼はふたりにいってくださいな」と、ミセス・マクビティー。

「バックパックをなくしてから、いったい何年たったんでしょう。どうやってなくしたのか、記憶《きおく》がないの。なんでそんなところに行きついたのか、きっとだれにもわからないままね……あなたたちにわかるのなら、別だけど」と、キャロラインはルーシーとジャックにいった。

ジャックが、ルーシーを軽くひじでつつく。

ミセス・マクビティーが、キャロラインにほほえみかけた。「記憶というものは、はっきりしたり、ぼやけたりしますからねえ。何年もたたないと、はっきりしないこともありますよ」

キャロラインは、物知り顔のミセス・マクビティーを見てから、ルーシーとジャックのほうへ向きなおった。「わたしたち三人には、まだまだ話すことがあるようね」

「つづきは、いつでもオッケーです」と、ルーシー。話のつづきをしたくて、たまらない。

ミセス・マクビティーはいつも以上に瞳《ひとみ》を輝《かがや》かせ、新たな名声への称賛を心ゆくまで浴びていた。けれど、その晩のミセス・マクビティーのちがいは、きらめくドレスや華《はな》やかなパーティーだけでは説明しきれなかった。ひょっとして、かずかずの秘密をかかえているせい？　それとも、ミニチュアルームの中にふたたび入りこめるよう、裏《うら》の廊下《ろうか》に連れていこうかと、ルーシーとジャックに誘《さそ》われたせい？　ふたりの誘いに、ミセス・マクビティーはノーとはいわなかったが、イエスともいわなかった。そういう冒険《ぼうけん》をするには、少し年を取りすぎていると思っていたのだ。それでも、その晩のミセス・マクビティーは、ルーシーが見たことのない表情で、ルーシーのほうを何度も見ていた。

パーティーのあと、ルーシー一家はミセス・マクビティーを自宅マンションまで送っていった。ロビーでエレベーターを待ちながら、ミセス・マクビティーは全員にまたお礼をいったあと、「ちょっと待っておくれ、ルーシー。おまえさんに、これをあげよう」と、美しいハンドバッグをルーシーにさしだした。

「えっ、ミセス・マクビティー！　そんな……いただけません。お姉さんのものだし」

「ああ、そうだねえ。けれど、姉のものになる前は、ほかの人のものだった。今度は、おまえさんのものになる番だ。おまえさんは、エドマンドと写真を結びつけることで、わたしに……わたしたち全員に、すばらしい贈《おく》り物をしてくれたじゃないか。さあ、わたしからの贈り物だよ。受けとっておくれ」

「本当に……いいんですか？」本音をいえば、こんなに美しい宝物をもらえたらうれしい。

「もちろんだとも。わたしの手もとにあるのは、どれもこれも、おもしろいものばかりでねえ。わたしは、次の人にバトンタッチするため、大切にあずかっているだけだと思うんだよ。ふさわしい人に、ふさわしいものを、結びつけるんだ。さあ、これからは、おまえさんがあずかる番だよ。それに、こんなふうに着飾《きかざ》らなきゃならない夜のパーティーなんて、このわたしにあと何回あるというんだい？」

「あと何回もと期待しようじゃないか、ミネルバ！」ルーシーの父親が口をはさんだ。

ミセス・マクビティーは肩《かた》をすくめてほほえみ、「どうだろうねえ」と、さっきよりも強引にルーシーにハンドバックをわたした。「お願いだから、受けとっておくれ」

「ありがとうございます、ミセス・マクビティー。あたし、きちんとおあずかりするって、約束します」ルーシーは、まじめな顔でいった。金色のビーズとラインストーンが、ひときわ明るく輝《かがや》く。

ミセス・マクビティーはエレベーターに乗りこみ、「それでは、みなさん、おやすみなさい」と、瞳《ひとみ》をまばゆいくらいにきらめかせながら、あいさつした。

徒歩《とほ》で家に向かうとちゅう、ルーシー一家は春中ごろの暖かい夜を楽しみつつ、晩の出来事について話をした。夜はかなりふけている。もうすぐ真夜中だ。ルーシーはかなり疲《つか》れていた。

が、別の感覚もあった。いま、自分がにぎりしめている――ミセス・マクビティーから強引に贈《おく》られた、ビーズとラインストーンの美しいハンドバッグが、手の中で少しずつ熱をおびているように感じたのだ。最初は少しだけだったが、だんだん無視できないほど温かくなってくる。ルーシーは家族とともに散歩しながら、ハンドバッグを見つめた。このバッグ、さっきよりも輝《かがや》きが増してる――？

しかしマンションのあるブロックへと角をまがったとたん、熱の感覚がすっと消えた。ルーシーは、ビーズとラインストーンを見た。たしかに光っているが、ラインストーンのカット面に街灯が反射しているだけだ。

やっぱり、なにもかも、思いすごしよね。その晩はワクワクしどおしだったし、一日中、ソーン・ミニチュアルームの冒険《ぼうけん》のことばかり考えていた。疲れていたし、緊張《きんちょう》して手に汗《あせ》をかいただけなのだろう。

家で、ハンドバッグを持ったままベッドに座《すわ》り、ルーシーは思った。あたしの人生にわくわくするようなことなんて起こるはずがないと、ついこのあいだまで思っていたのに。本当にあれよあれよという間《ま》に、いろいろなことが変わっちゃった！　それは、魔法《まほう》を使えるようになったから？　それとも、パパがいつもいってるように、自ら行動を起こさなければ、なにも起こらないものだから?

ルーシーはバッグをそっとにぎり、手の中で熱をおびるかどうか、ようすを見た。けれど、なんの変化も感じられなかった。現実にもどらなければ。ハンドバッグが魔法の品に変わりますようになんて願うのは、どうかしてる。

ミセス・マクビティーは、本についていっていた。本は、こっちが知っておくべきことを、つつみかくさず語りかけてくることもある、と。ほかのものも、そうであってくれたらいいのに。たとえば、このハンドバッグ。もし語ることがあるとしたら、なにを語ってくれるだろう?

ルーシーはため息をついて、あくびをし、ミセス・マクビティーとの約束を守ってきちんとあずかるため、ハンドバッグをクロゼットのひきだしの上段にそっとしまった。

朝になったら、もう一度ながめようっと。

読者のみなさんへ――作者あとがき

わたしは幼《おさな》いころから、母に連れられてシカゴ美術館に通うようになりました。母は画家で、シカゴ美術館が大好きでした。末っ子のわたしを電車に乗せ、一日がかりでよく町にくりだしたものです。わたしにとってそれは、いつも冒険《ぼうけん》でした。母が大好きだったのは、印象派の風景画。わたしが大好きだったのは、ソーン・ミニチュアルームでした。おそらく母は、遠い世界の風景画の中に自分がいるところを想像したのでしょう。わたしは、完ぺきなミニチュアルームの中に自分がいるところを想像していました。いまでもソーン・ミニチュアルームを訪《おとず》れるたびに、ルーシーと同じようにドキドキします。魔法《まほう》は、まだ消えてはいないのです。

この物語を書くにあたっては、実存する人物と空想の人物を織りまぜました。世界中を旅して、ミニチュアを見つけるたびに買いもとめたソーン夫人は、もちろん実在の人物です。夫人はコレクションがかなりそろった時点で、歴史上重要なインテリアについて人々が学ぶ場になるようにと、閲覧室《えつらんしつ》を作りはじめました。大半のミニチュアルームは、一九二〇年代および三〇年代に作られたものです。シカゴ美術館にはミニチュアルーム関連の書類が保管してありますが、わたしが仕入れた記録上の知識のほとんどは、ミニチュアルームの美しいカタログから得たものです。ソーン夫人が多くのミニチュアを〝パリの小さな店〟から買いもとめたと知ったのも、カタログの記述からでした。みなさんもカタログを読めばわかるこの事実が、わたしの想像力に火をつけたのです。

フランス革命とセーレムの魔女裁判も、もちろん歴史上の出来事です。ですが、ソフィー・ラコンブとトマス・ウィルコックスは、わたしの想像の産物です。ソフィーの家庭教師、ムッシュー・ルシュウールの名前は、歴史上の重要な人物——フランス革命後、アメリカにわたって、アメリカと民主主義について執筆《しっぴつ》したアレクシス・ド・トックビル——の家庭教師にちなんでつけました。ミラノ公爵《こうしゃく》夫人のクリスティナも実在の人物で、E1のミニチュアルームには、ハンス・ホルバインが描《えが》いたクリスティナの有名な肖像画《しょうぞうが》がかかっています。クリスティナは長生きし、現代ヨーロッパの王室にはいまも子孫が残っています。

ルーシーとジャックはシカゴ美術館の記録保管所で調べものをし、トマス・ウィルコックスの子孫の遺品《いひん》にくわえ、デンマークのアンティークのドールハウスについてつきとめています。これも、わたしの創作《そうさく》です。ですが、ミニチュアルームや、その中にあるすてきな品々についての描写《びょうしゃ》は、実際のミニチュアルームのとおりです。E1のつくえの上には、本が一冊のっています。わたしはこの本を、クリスティナの日記だと想像しました。わたしがソフィーの日記と呼んだ本はE24の美しいつくえの上にありますし、A1の暖炉《だんろ》の上にはメイフラワー号の小さな模型もあります。

ルーシーとジャックがミニチュアルームの裏《うら》の廊下《ろうか》に入りこむために使ったドアは、11番ギャラリーに行けば見られます。ミニチュアルームの裏側には廊下が一本通っている、というのは、わたしの想像です。ルーシーとジャックが走った下枠《したわく》も、ふたりが見つけて利用したカタログ入りの箱やバケツ、粘着《ねんちゃく》テープや通風孔《こう》とともに、わたしの想像です。

もうおわかりだとは思いますが、わたしはいろいろなものを想像しました。登場人物たち、魔法の品々、タイムトラベル——。想像したという点では、ソーン夫人も同じです。なにせソーン夫人は、六十八のミニチュアルームを想像し、さらにそれを一から十まで作りあげたのです。なぜ人間のミニチュアをひとつも入れなかったのかとたずねられたとき、ソーン夫人は、物ほどリアルには作れないからだとこたえています。幻想《げんそう》の世界をこわしてしまうことになるから、と。そのかわり、ソーン夫人は自分の想像力にたより、ミニチュアルームの観客にも同じことを期待したのです。想像力が魔法《まほう》となりうることを、ソーン夫人は知っていたのでしょう。

マリアン・マローン

訳者あとがき

ミニチュアルーム、と聞いて、みなさんはなにを想像するでしょう？　小さな家具がならんでいる、かわいらしいお部屋？　美しい模型？　子どものおもちゃ？

アメリカのシカゴ美術館に実際に展示されているソーン・ミニチュアルームは、そんな言葉ではとても言いあらわせない、まさに魔法の空間です。ミニチュアという点をのぞけば、いまにも暮らせそうな部屋ばかり。展示されているのは、十三世紀後半から一九三〇年代までのヨーロッパと、十七世紀から一九三〇年代までのアメリカのインテリア。中国の部屋と、日本の畳《たたみ》の部屋もあります。シカゴ在住のソーン夫人の細かい指示を受けて、熟練《じゅくれん》の職人たちが作っただけに、つくりは精巧《せいこう》そのもの。実物の十二分の一に作られていて、窓越しに閲覧《えつらん》できるようになっています。

そのミニチュアルームに、もし入りこめるとしたら？　おとぎ話のお姫《ひめ》さまが眠るような、天蓋《てんがい》つきのふかふかのベッドで、一晩すごせるとしたら？　昔の部屋へ、タイムスリップできるとしたら？

主人公ルーシーが、本物そっくりのミニチュアルームを見て、そう想像したのも無理はありません。ところが大親友のジャックがほんのいたずらでミニチュアルームの裏《うら》にしのびこみ、不思議な鍵《かぎ》を手に入れたのをきっかけに、ルーシーはジャックといっしょにその夢をかなえ、はるか昔の異国の部屋へ、異国の世界へと入りこみ、摩訶《まか》不思議な体験をすることになるのです。

ルーシーたちがたずねたのは、十八世紀後半のフランス（パリ）の豪華《ごうか》な居間と、十七世紀後半のアメリカ（マサチューセッツ州）の素朴《そぼく》なキッチンです。当時の時代背景について、少し触《ふ》れておきましょう。

十八世紀後半のパリといえば、フランス革命を避《さ》けては通れません。当時、フランスでは、特権階級の貴族と一般国民との貧富の差がはげしく、国民は貧しい生活を強《し》いられていました。王室への反感をつのらせた国民は、アメリカ合衆国の独立に刺激を受けたこともあり、とうとう一七八九年、王室に反旗《はんき》をひるがえし、革命が全土に広がっていきます。ルーシーたちがたずねた一七八五年のパリは、革命直前の不穏《ふおん》な時代だったのです。

もうひとつの部屋、一六九二年のアメリカのマサチューセッツ州では、セーレムという村で魔女《まじょ》裁判が開かれました。二百名近い無実の村人が、〈魔女〉のレッテルを貼《は》られて次々と告発され、問答無用で処刑《しょけい》されたり、拷問《ごうもん》にかけられたりした、おぞましい裁判です。

こうしてルーシーとジャックは、教科書でしか知らなかった史実を直接体験し、さまざまな驚《おどろ》きをおぼえます。さらにその摩訶《まか》不思議な体験が、ルーシーとジャックの日常生活と意外な形で結びつき、骨董品《こっとうひん》店の老齢《ろうれい》の女性オーナーや、ジャックの母親、シカゴ美術館で警備員をしている元カメラマンをも巻きこんで、ルーシーたちに奇跡《きせき》をもたらすことに――。

では、その奇跡とは？　それは、もちろん、読んでのお楽しみです。

最後に、訳者をルーシーとジャックに引きあわせてくれた編集者の木村美津穂さんに、心よりお礼申しあげます。

二〇一〇年十月　　橋本恵

【作者・訳者紹介】

マリアン・マローン Marianne Malone

米国生まれ。イリノイ大学卒。アーティスト、美術教師。
3人の子どもを持ち、長女が中学校へ入学した際に、長女の親友の母親と
共同で女子中学校を創立した。現在は夫と愛犬とともにイリノイ州
アーバナに住んでいる。本書がデビュー作。

橋本　恵 はしもと　めぐみ

東京生まれ。東京大学教養学部卒。翻訳家。
主な訳書に「ダレン・シャン」シリーズ、「デモナータ」シリーズ（以上、小学館）、
「アルケミスト」シリーズ、「スパイガール」シリーズ（以上、理論社）、
「2140」シリーズ（ソフトバンククリエイティブ）など、多数。

口絵：*Thorne Miniature Rooms,* シカゴ美術館蔵
E1 : Mrs. James Ward Thorne, American, 1882-1966, E-1 : English Great Room of the Late Tudor Period, 1550-1603, c. 1937, Miniature room, mixed media, Iterior: 23×25¼×31¾ in., Gift of Mrs. James Ward Thorne, 1941.1186, CITI Object ID: 43683
E17: Mrs. James Ward Thorne, American, 1882-1966, E-17 : French Bedroom, Late 16th Century, c. 1937, Miniature room, mixed media, Iterior: 19¼×26× 27 in., Gift of Mrs. James Ward Thorne, 1941.1202, CITI Object ID: 43739
E24: Mrs. James Ward Thorne, American, 1882-1966, E-24 : French Salon of Louis XVI Period, c. 1780, c. 1937, Miniature room, mixed media, Iterior: 15×20½× 17 in., Gift of Mrs. James Ward Thorne, 1941.1209, CITI Object ID: 43764
A1: Mrs. James Ward Thorne, American, 1882-1966, A-1 : Massachusetts Living Room and Kitchen, 1675-1700, c. 1940, Miniature room, mixed media, Iterior: 8⅝× 18⅛×14 in., Gift of Mrs. James Ward Thorne, 1942.481, CITI Object ID: 45316

12分の1の冒険
作…マリアン・マローン
訳…橋本恵
2010年12月25日　第1刷発行
2018年6月15日　第6刷

発行者…中村宏平
発行所…株式会社ほるぷ出版
〒101-0051　東京都千代田区神田神保町3-2-6
電話03-6261-6691／ファックス03-6261-6692
http://www.holp-pub.co.jp
印刷…共同印刷株式会社
製本…株式会社ハッコー製本
NDC933／344P／197×140mm／ISBN978-4-593-53473-9